KB103413

당신이 웃을 때 나는 죽고 싶었다.

한새길

당신이 웃을 때 나는 죽고 싶었다

발 행 | 2023년 12월 27일
저 자 | 한새길
펴낸이 | 한건희
펴낸곳 | 주식회사 부크크
출판사등록 | 2014.07.15(제2014-16호)
주 소 | 서울특별시 금천구 가산디지털1로 119 SK트윈타워 A동 305호
전 화 | 1670-8316
이메일 | info@bookk.co.kr

ISBN | 979-11-410-6236-1

www.bookk.co.kr
ⓒ 한새길 2023

차례

2018년 2월 8일 ~ 2022년 11월 26일, 29살 글을 마칩니다.

"관상은 과학이다."라는 말이 있죠. 입 밖으로 꺼내기 조심스럽지만 예상했던 결말과 사람 됨됨이가 현실이 되었을 때 그런 말을 합니다. 긍정이든 부정의 의미든 제가 글로 적은 생각도 그렇습니다. 저의 표출과 표현에 공감이 됐으면 좋겠습니다. 공감이 많아질수록 개인적인 것으로 끝나지 않을 테니까요.

더 나아가 개인의 정의와 편견이 맞다, 틀리다로 끝나지 않기를 바랍니다. 글을 마주하는 이의 경험으로 해석해야 하는 글입니다. 단어나, 표현이 함축된 추상적인 글과 단어에 개개인의 환경과 사람 등 경험을 대입하면 한결 이해하기 쉽습니다.

겉멋으로 성찰하고 반성하는 사람보다 본인의 부족함을 변화시킬 준비가 된 사람이 읽었으면 좋겠습니다.
반성하는 당신에게 하루가 달라졌으면 좋겠습니다. 반대로 나는 아닐 거란 생각으로 안주하는 당신은 불행하기를 바랍니다.

여태 그래왔듯이.

제목으로 된 월 옆에 '¨'을 적은 이유는 이 글의 제목을 당신이 지었으면 하는 바람에서 만들었습니다. 기존에 의미 부여를 했던 주제에 새로운 경험을 불어넣을 수 있기를 바랍니다. 우리는 깊이만 다른 일을 반복하면서 성장하지 않았습니까?

내가 태어난 3월

어릴 적 누나에게 들었던 재미난 이야기가 있다.
죽는 날이 태어난 날과 가깝다는 말이었다.

죽는 날이 태어난 날에 따라서 정해진다니,
어린 나는 그 말에 흥미를 가졌고 믿고 싶었다.

내가 태어난 날에는 새싹이 자라고 벚꽃이 핀다.
아름답지 못한 사람이 새 생명에 가려질 수 있는 계절,
처음이자 마지막이 되는 의미 있는 날.

내가 생각하는 사랑을 주제로 시작하면 어떨까?
내가 사랑하는 계절과 시간 속에 아직도 어리고 여린
나를 묻어본다.

3/1 :

소개팅을 마친 그는 주선해 준 이에게 아쉬운 소리를 하기 시작한다. 주선해 준 입장에선 비슷한 사람끼리 연결해 줬다고 생각했는데 말이다. 궁금해진다. 과연 아쉬운 소리를 할 만큼 '좋은 사람'이었던가, 아니면 스스로 '좋은 사람'의 기준점을 잡고 노력이라도 해본 사람이었나.

소개팅을 마친 그는 복권 한 장을 구입한다. 그리고 당첨되면 무엇을 할지 고민한다. 그가 생각하는 본인과 그의 연인은 당첨될 것만 같은 복권에 존재하는 상상 속 인물이라는 것이다.

3/2 :

　본인을 알아갈수록 사랑스럽다고 하는 이가 있는 반면 본인을 알아갈수록 사랑하기 힘들다고 하는 사람도 있다. 나는 후자에 속하는 사람이라 전자를 이해하지 못한다.

　자신의 추한 모습마저 사랑한다는 그를 이해하지 못했던 건 나의 투정인가 아니면 용서받을 수 있는 정도의 죄가 부러웠던 걸까. 혹은 자신의 잘못을 타인의 죄로 덮어버리는 뻔뻔함을 배우고 싶었던 걸까.

　그게 무엇이든 내가 바뀌지 않는 한 이해하지 못한다. 사랑받지 못할 존재로 만들어버린 건 여태까지의 나 아닌가.

　　당신은 사랑에 대한 이해가 깊다. 나 역시 타인의 사랑을 잘 이해한다. 우리는 타인의 연애 이야기에 더 많은 흥미를 느끼고 이해하는 사람이다. 정작 현실에 마주하는 다름과 다양한 감정을 눈치채지 못한다. 우리는 감정적으로 아름답고 불안한 감정을 직시해야 할 필요가 있다.

　　그건 남의 외로움을 걱정하는 것도 아니고, 헤어져도 괜찮은 좋음을 탐구하는 것도 아니다. 미래의 우리와 상대방을 유연하게 이해할 수 있는 경험을 해야 할 때다.

3/4 :

자신을 소중하게 생각하라고 했을 뿐 그대가 타인보다 더 소중한 존재라고 말해주는 정신 나간 사람은 없을 것이다.

자신을 잘 안다는 대단하고 소중한 그대는 끼리끼리 만나 흔들리고 부딪히며, 불행하다고 하지 않는가.

　　짝사랑을 하며 깨닫게 된 것들이 많다. 그 중하나가 나만이 알고 있는 배려와 조심스러운 행동은 매력을 소멸시킨 다는 것. 온전히 자신에게 집중하게 될수록 기회와 운명은 점점 멀어지는 것이다.

　　상대방의 의견이 반영되지 않은 고민은 빈 상자를 포장하여 선물하는 꼴이니.

줏대 없는 두 사람의 사랑은 경미하다. 한 쪽이 보여주는 배려나 양심은 다른 한쪽에게 제공되는 변명이자 합리화의 수단이 된다. 변화 없는 그들은 서로를 무례하게 대하며, 더 나은 사람을 기대하고 기다린다.

지겹다. 타인 탓이 일반화된 시대에 똥차가 똥차를 만났다는 걸 언제 깨달을까.

　　스스로를 통제하지 못하는 자유와 개성을 자제해 달라고 부탁했는데 화를 낸다. 그대는 내가 알고 있는 타인의 말을 빌려와 성숙한 어른인 척 모방하기 시작한다. '틀림'을 '환경의 다름'으로 합리화하려는 것은 그대의 잘못인가, 아니면 그대의 삶을 충분히 이해하지 못한 나의 잘못인가?

　　모두가 각자의 입장에서 사랑과 배려를 표현한다. 우리는 얼마나 많은 실수를 저지르고 후회해야 스스로를 사랑하고 타인을 깊이 이해할 수 있을까.

3/8 :

외로움과 싸워 이겼을 땐 그 누구도 다가오지 않았다. 무의식중에 남아있는 희망까지 포기하니 그제야 사람이 다가온다.

나에 대한 기대를 처절하게 무너뜨린 후에 부끄러운 자존심과 외로움 앞에 백기를 들었을 뿐인데.

"당신에게 이해와 존중을 기대한 적이 없었습니다. 작은 행동에도 의미를 부여한 적이 없었습니다. 그대에게 최선을 다한 이유는 스스로에게 좋은 변명을 만들기 위함이었습니다.

당신이 피해자 역할을 원했고, 나는 나 자신의 성숙함을 시험해 보고자 대본대로 행동했습니다. 당신의 행동을 모방한 이유는 그 행동을 이해하기 어려워서 그랬던 것입니다. 각자가 맡은 역할에 최선을 다한 긴 연극을 끝내보려고 합니다.

모든 것이 내 잘못이라고 생각하셔도 좋습니다. 만약 당신이 잘못한 게 있다면, 이 연극을 통해 '나를 사랑하는 법'을 가르쳐 준 것입니다. 나는 원래 이기적이었는데, 더 심해졌을 뿐입니다."

3/10 :

　어릴 적, 나는 낯선 사람조차 마음 아끼지 않았
다. 헤어지는 게 아쉬워서 그 사람과 평생을 함께할 수
있게 해달라고 기도한 적도 많았다. 1층, 2층, 3층에서
평생을 함께할 수 있는 아름다운 공간을 상상하며 아
쉬움을 달랬다.

　시간이 흐르면서 주변 사람들이 변화한다. 다시
오지 않을 그 사람의 공간에 임대를 붙여놓고 새로운
공간을 만든다. 사람을 좋아하는 순수한 사람에게는
철없는 아픔일 텐데 말이다. 지금까지의 모든 순간과
만남을 잊을 수 없었다. 계절마다 스며든 사랑과 이별
에게 미안한 마음이 많아서 그럴지도 모른다.

3/11 :

　내가 생각하는 소개팅은 회사에 이력서를 제출하고 면접을 보는 것과 비슷하다. 조금 다른 점이 있다면, 자신의 부족함은 괜찮지만 타인의 부족함을 이해하지 못하는 사람이 반대편에 있다는 것이다. 타인을 이해하기도 전에 결과가 나온다. 비교와 존중 없는 언행은 본인의 모습을 부정당하는 것처럼 느껴진다. 그 무엇도 아쉬울 것 없는 두 사람이 만났는데 취준생과 면접관이 있다.

　소개팅을 통해 깨달은 점은, 나를 진정으로 이해하려는 사람보다 판단하려는 사람들이 많다는 것이다. 평가받기는 싫은데 평가하는 것은 좋아하는 사람. 그들 말대로 우리는 어쩔 수 없는 인간인가 싶기도 하다. 본인에게 부족한 걸 채워주길 바라는 욕심은 당신에게만 적용될까 아니면 인간의 본능이라고 해야 할까.

3/12 :

깊어지는 이 밤.

내가 걷던 시간에 그대가 피어났다. 그날 이후 그리고 지는 순간까지 당신 곁에 머물렀다. 후회보다는 우리의 만남에 감사하며, 떨어진 잎을 주워 일기장에 꽂아둔다. 28번의 밤을 평온하게 보냈지만, 그 새벽에 주워 담은 은은하게 풍겨오는 기억 하나에 가슴이 저며온다.

꽃이 피고 지는 날이 찾아오기 전에, 더 오래 머물고 싶다. 향이 날아간 소박한 잎 하나에도 감사함을 느낄 수 있는 사람으로서, 그날의 새벽을 힘껏 안아보고 싶다. 참 많이 좋아했다고 말한다. 당신의 죽음을 알리는 아침 햇살에 고개를 떨군다.

3/13 :

　헤어진 후에야 화를 드러내지 않는 사람이 더 많이 참았다는 것을 깨달았다. 혼자서 사랑하고 배려했던 것을 희생이라 오해한 내가 부끄럽다. '고집'이라는 동반자가 내 방을 떠나고 나서야 그 사실을 알게 됐다. 성숙한 이미지에 눈이 멀어서 서로의 다름을 전혀 알지 못한 채 행동했다는 사실을.

　생각이 깊어질수록 늦었다는 것을 깨닫게 됐다. 어둠으로 가득한 차가운 동굴 안에 기억들을 모아 불을 피운다. 그대의 따뜻한 마음이 연기가 되어 내 숨통을 조여온다. 내 배려가 작은 연탄 가루였다는 걸 알았을까. 아니면 떠날 결심에 침묵을 선택했던 것인가.

　돌이켜보니, 그대에게 사랑과 배려라는 독을 풀어 벙어리로 만든 게 바로 나였다.

3/14 :

　오늘도 당신 얼굴엔 슬픔의 색이 번져있다. 애써 지은 미소가 사라진 줄도 모르고 괜찮다고 말한다. 아프다고 도망가거나, 말이라도 지어내 감정을 표출하거나, 슬픈 연기라도 했으면 좋겠지만 당신은 거짓말을 못하는 사람이었다.

　마르지 않는 수건을 힘겹게 쥐어짜는 당신을 보며, 안타까워할 뿐 아무것도 해줄 수가 없었다. 이윽고 당신은 굳어져가는 표정으로 거리를 둔다는 의미를 전달한다. 나에게 기댔으면 하는 바람은 당신에게 꽤 어려운 일인 것 같다.

　서운하게 만들었다.
　사랑하는 당신의 침묵이.

3/15 :

별에 휩쓸리다 파도에 밀려 허우적거린다. 가라앉는 순간에도 저 멀리 우주가 눈에 아른거린다. 손을 뻗고 다리를 힘껏 움직여도 위로 올라가지 못한다.

성인이 지나서도 허우적대고 유영한다. 이곳은 죽은 별이 살아가는 심해인 듯하다. 나이가 들수록 점점 더 숨이 차고 가라앉는 기분이다. 남겨놓은 빛마저 점점 사라진다.

스스로 빛내지 못하는 아침의 별은 시간이 지날수록 더 많은 타인의 위로와 사랑을 갉아먹으려고 한다.

3/16 :

좋아하나 보다.

그대가 꿈속에 나타나는 찰나에 눈을 뜬다. 아침 내내 비가 내리다, 점심이 지날 때쯤 그친다. 잠잠해진 제주도 바다 위에는 미역처럼 보이는 걱정들이 널브러져 있다. 모래사장까지 밀려온 걱정의 조각들이 한곳에 모여, 조약돌처럼 단단히 굳어간다.

나의 걱정이 그대가 서있는 모래사장에 닿을 수 있을까 질문한다. 지금 이 시간에도 쌓이는 모래와 같은 가벼운 걱정들이 당신에게 나아가는 길에 막혀도 괜찮은지 끝없이 질문을 던진다.

진심이었나 보다.

다시금 쏟아지는 비에 쌓여있는 걱정이 파도에 운반되기 시작한다.

3/17 :

    영롱한 새벽달 아래, 웅크린 꽃봉오리를 발견한다. 만개한 모습이 궁금해서 매일 아침 주위를 맴돈다. 불어오는 건조한 바람에 눈을 감은 찰나, 차가운 바람이 내 마음속을 관통한다. 놀란 마음에 눈을 떴을 때는 말라버린 줄기만 남아 있다. 주위를 둘러보니 계절이 바뀌었다는 것을 알게 된다. 궁금하고 좋았던 새벽 끝에 형체 없는 감정만 남는 게 우습다.

    '마음 정리'라는 것이.

3/18 :

"아가, 나의 사랑과 인간관계는 '사각형'이야. 대각선에 있는 사람과 내가 서로를 이어주는 선을 따라서 만났다면, 얼마나 좋았을까 상상해 봐. 욕심으로 만들어낸 상상은 항상 거절과 아픔으로 끝나더라고. 나에게 관심 없는 사람에게 '자연스러운 만남'이나 '우연'을 만들어주고 싶어서 대각선으로 갔어.

어떻게 됐을까? 혼자 텅 빈 공간을 헤매며 끝나버렸어. 내가 좋아했던 사람들의 공통점은 꼭짓점을 지키며 단 한 걸음도 움직이지 않았다는 거야. 그런데도 좋았고 괜찮았어. 미숙함일지라도 내가 그들을 결코 가볍게 여기지 않았다는 뜻을 표현한 것 같았거든.

언젠가 그 사람도 마음의 무게를 알게 될 거야. 사랑받을 때의 무관심과 배려는 누군가를 사랑할 때 똑같이 돌아오니까. 나는 그걸 '대각 인연'이라고 부르고 싶어. 유영하고 방황하고 멈춰도 괜찮아, 너만의 방식으로 좋은 표현을 하면 돼. 그리고 사랑뿐만 아니라 친구, 직장동료, 사람을 만날 때도 텅 빈 공간을 지나는 '대각선' 대신, 선명하게 그어진 '선'을 따라가기를 바라.

반대로 너에게 가는 길을 모르고 선에서 이탈한 사람이 있다면, 그곳에서 꺼내주는 사람이 되렴. 긍정이든 부정이든 진심으로 감사하다는 마음을 전달하고 위로해 주면 돼. 깊이를 중요하게 전달하면, 네가 걸어온 경험과 비례해서 그만큼 소중히 돌아올 거야. 말이 길었지만, 내가 힘들어하는 사람과 사랑이 너에겐 사각형이 되는 일이 없길 바라. 훗날 더 많이 걸어본 사람만이 아는 서운한 감정이 되지 않도록 말이야.”

3/19 :

　3월의 마지막 눈이 내린다. 땅에 닿기도 전에 녹아버리는 눈은 마치 내 마음을 대변하는 것 같다. 그대를 마주할 때 얼어붙었던 어리숙함이 흩어지는 진눈깨비처럼 녹아든다. 내가 기대했던 마지막 눈은 바람에 날아가는 벚꽃이었지만, 그 형태마저도 "뭐해?"라는 안부와 다를 바 없다.

　그대의 마지막의 미소가 떠오른다. 그 웃음 섞인 상상에 모든 일이 순조롭게 흘러갈 것만 같은 기분이 든다. 그대가 잠든 긴 새벽, 진눈깨비가 하얀 솜처럼 변했으면 좋겠다.

　마지막 고백을 이 새벽 끝 햇빛에 녹여내리니, 그대에게 전하고 싶은 딱딱한 마음이 포근하게 보이기를 바란다.

3/20 :

    내가 가져온 벽돌이 싫다며, 다른 벽돌을 올린다. 시간이 흐르면서 서로가 원하던, 원치 않던, 보이게, 보이지 않게 몰래 치우고 쌓는다. 점점 기울어져가는 탑을 신경 쓰지 않고 벽돌을 쌓는다. 몇 개월, 몇 년이 흘렀을까. 높게 쌓아 올린 탑을 보면서 우리는 운명처럼 만난 사람임을 깨닫게 된다.

    어떤 사람은 미완성된 우리의 사랑과 다툼을 보며, 아름답다고 엄지를 치켜세운다. 지금도 우리는 무너질 것만 같은 '피사의 사탑'과 같은 운명 위에 쌓아야 할 게 많다는 걸 느낀다. 하루아침에 무너져도 이상하지 않을 탑에 벽돌을 하나씩 끼워 넣고 치우며, 위태롭고 아름다운 사랑을 이어간다.

3/21 :

행복은 가까이 머물 때도 모르면서 불행이 찾아올 거란 예측은 틀린 적이 없다.

그러게 말이다. 나도 그들과 다르지 않게 상처 따위에 의미 부여를 잘하는 사람 중 한 명인가 보다.

3/22 :

신호등을 건널 때 흰색만 밟아본다. 실수하면 연습이라고 혼잣말을 한다. 사랑에 빠진 소년은 성인이 되어서도 "된다.", "안된다."를 반복하는 게임을 하며, 순수했던 시절로 돌아가려고 한다. 실패하더라도 아무런 걱정 없이 처음부터 다시 시작하면 된다는 때묻지 않은 마음이 얼마나 좋았는지.

그 마음을 지켜주려는 초록 신호등이 있을 거라 믿으며, 바쁘게 움직여본다. 혹여 그날이 온다면, 빨간불이 길어져도 콧노래를 부르며 기다리지 않을까 싶다.

3/23 :

'OO'이라는 말이 얼마나 슬프던지.
'OO'이라는 뜻이 얼마나 감사한지.

형식적인 말로 기억하기 아까운 장면이 있어 필름에 저장했다. 생각하기 좋은 새벽 시간이 되면 밤하늘에 현상된다. 'OO'이라는 필름은 겨울밤의 별처럼 선명하고도 아련하다. 처음이자 마지막이 되어버린 인사 속에 우리의 모든 순간이 함축되어 있으니 말이다.

"안녕!"
.
.
.
"안녕."

3/24 :

　　모른 척 지나가려고 했는데 당신은 반가운 미소를 지으며 다가온다. 나만 아는 어색함과 당신의 용기 덕분에 다음엔 내가 먼저 연락해도 되겠다는 생각을 하게 된다.

　　나는 오늘.

　　당신의 따뜻함 덕분에 괜찮다는 의미를 배운다.

3/25 :

　　감정에는 밤하늘의 별처럼 보이고 사라지는 복잡한 의미가 내포되어 있다. 배려라는 독을 이해한다면 당신은 따뜻한 사람일지도 모른다. 겸손의 표현 방법을 모르는 사람은 본인을 깎아내리는 행동으로 높은 자존감을 표현하기도 한다. 아이와 같은 솔직한 표현은 부담이 아니라 부러지지 않는 굳은 의지일 수도 있다. 당신을 변호하기 전에 내가 그런 사람이었기 때문에 알았다. 밤하늘의 별을 전부 소개하고 싶어 하는 생각 많고 소심한 이들의 표현 방법에 대해서.

3/26 :

　　외로운 것이 문제가 되지 않았고 느낄 시간도 없었다. 단지 나를 걱정해 주는 진심이 그리웠을 뿐이다. 의무적인 사랑과 잘난 외모가 아니라 진심 어린 마음이 그립다. 오늘은 어떤 하루를 보냈고 지금은 무엇을 하고 있느냐는 질문이 지루할 수도 있지만 그것보다 좋은 안부도 없다.

　　아직도 마음 주는 것에 어색하다. 시간이 지날수록 지친 마음이 떠나는 것은 당연하고 대부분 좋은 사람이 떠난다. 지루한 안부가 그들의 진심을 표현하는 유일한 방법인 걸 너무 늦게 알았다. 나의 공허와 아픔을 위로할 준비가 된 그들의 지루한 표현을 모른 채 했던 걸까.

　　어리석었다. 나를 신경 쓰는 사람은 내가 신경 쓰지 않는 사람이었으니.

3/27 :

아무리 보기 좋은 꽃이라 한들 향이 좋지 못하면, 서서히 뒷걸음치거나, 처음부터 다가가지 않으려고 한다. 바람이 거센 이 계절에는 더더욱 그렇다. 당연한 법칙을 아는 척하는 너와 나에게 다시 한번 말한다.

3/28 :

내가 사랑하는 새벽바람에 당신을 흘려보낸다. 행복이라 여겼던 불안과 미움을 한곳에 모아 새벽안개에 태워본다. 화상 입은 마음과 벌어진 상처가 잔잔해지는 바람에 응고되어 간다.

이내 단단하게 굳은 '익숙함'에도 금이 가는 일이 생긴다. 새벽바람에 흘러 들어오는 냄새와 기억에 반응하는 듯하다. 어김없이 벌어진 틈 사이를 입김으로 달래봐도 익숙한 이 거리를 지날 때 울컥해지는 감정은 어쩔 수 없나 보다.

새벽바람에 녹아있는 기억이 새살이 되어 돋아난다.

3/29 :

　　나의 계절은 줄곧 겨울과 봄 사이였다. 어느 봄의 만남과 헤어짐이 반복되는 설렘에 아프고 나아갔던 새벽과 아침. 진실한 마음이 녹아있는 마지막 사계절. 나는 지나온 계절 속에 간직한 찬란한 벚꽃잎을 놓치고 싶지 않았다.

3/30 :

앞이 보이지 않는 어두운 새벽길 속에서 환하게 빛나는 달빛에 한 걸음씩 나아간다. 점점 밝아지는 달에 기쁨의 미소를 지으면서도 '당신'만큼 빛나지 않아 아쉬워한다. 혹시나 하는 마음에 그 자리에 서성인다. 밤새도록 기다리고 동이 틀 때까지 기다리며. 보름달이 녹아든 물로 목을 축인다.

물이 다 떨어질 때 알았다. 방황하는 나를 바른길로 이끌려고 했던 사람의 곁을 떠난 건 나 자신임을.

3/31 :

　사랑받는다는 것은 소파와 같다. 편안함을 당연
하게 생각하는 순간부터 빈틈이 생기기 마련이니까.
편안함을 당연하게 생각하는 사람에겐 크기와 상관없
이 빈틈이 보일 리가 없다. 훗날 다 찢어진 소파를 탓하
고 떠날 테니.

3월, 마지막

내가 좋아하는 계절.
당신도 좋았을까.

이 계절에 속한 글을 거꾸로 읽어도 좋을 만큼.

나의 모든 4월

얼어붙은 땅이 녹아간다.
봄에는 따뜻함이라는 의미가 있는데
당신에게도 내가 봄과 같은 의미였으면 좋겠다.

숨어있던 오해와 변명이 날씨와 온도 속에
점차 녹아들었으면 좋겠다.

그래.

여기에 내 고민의 씨앗을 뿌려보자.
언젠가 보기 좋은 꽃이 될지도 모르니까.

4/1 :

　여느 때와 다르다고 느끼면서도 충동적인 만남인
지, 말로만 듣던 운명인지 고민한다. 당신도 같은 생각
을 했을 테지만 서로를 향한 발자국을 모아 흔들리지
않는 길을 만들어가 보자. 표출되지 못한 잔잔한 파도
나, 모난 바람에도 흔들리지 않게. 두려움 앞에 흔들리
지만 않는다면 고민만 날아갈 뿐이니.

4/2 :

　칼바람이 지나갈 수 있게 통로를 만든다. 날카로운 바람이 긁어도 괜찮은 듯 웃어버릴 수 있도록. 훗날 다듬어진 넓은 틈이 스스로를 따뜻하게 만드는 지름길이 되기에.

4/3 :

매번 후회한다는 말을 하면서 습관은 바뀌지 않는다. '해야지'라는 생각만으로 시간을 녹인 적이 많았던 탓에 내가 '괜찮은 사람'이 맞는지 의문이 든다.

잠시 숨을 들이켜고 자리에 앉아 그대가 선물한 향초에 불을 붙인다. 불이 타오르는 소리에 그대의 이름과 목소리가 들린다.

"내가 괜찮은 사람인가?"에 대한 해답을 찾는 건 의외로 간단하다. 우리의 이야기를 향초 속에 담아둔 것처럼 내 방안에는 다양한 사람들의 이야기가 보관되어 있다.

4/4 :

생각들이 정리되고 희미해지는 기억들이 떠올라서 담배를 피웠다. 얼마나 태웠는지 모르겠다. 타오르는 불속에 소각한 감각이 꽤 많았는지 벚꽃이나 매화 향기가 전처럼 느껴지지 않는다. 이 글이 완성되기 전에 끊어야겠다.

의지할수록 감각을 무뎌지게 만드는 습관은 기대고 싶은 냄새조차 맡지 못하게 만들 테니.

당신이 연애를 못하거나, 만날 사람이 없다는 것에 깊이 고민할 필요가 없다. 당신이 원하는 사람 입장에서 보면 굳이 당신을 만날 필요가 없기 때문이다.

자기 객관화가 뛰어나다는 당신은 아직도 사람을 상대로 룰렛을 돌리고 있지 않나. 나는 도박으로 성공한 사람을 본 적이 없다.

"네가 봤을 때 나는 괜찮은 사람이니?"

고된 시간을 침묵으로 일관하며, 아픔을 말하지 않던 이가 사람 때문에 힘들다고 울음을 터뜨린다. 관계를 어려워하는 이들의 여린 마음은 예상치 못한 곳에서 갈피를 잃는다. 가끔은 자신의 진심을 다 털어놓을 때쯤 발견한 낮아진 자존감에 분을 토하기도 한다. 외형이든 내면이든 자신을 꾸밀 수 있는 시간을 주지 않고 자기 최면만 걸었던 터라 인정하는 것도 쉽지 않다. 내가 해줄 수 있는 말은 "너는 아직 옷도 안 입고 화장도 안 했잖아."였다.

물론 이 글을 읽는 당신은 충분 이상으로 즐기고 꾸몄기 때문에 상관없다.

4/7 :

    광안리 해수욕장에 앉아 파도를 바라본다. 바람이 세차게 부는 밤이지만 밀려오는 바닷물은 아침과 다를 바 없다.

    신기하다. 아침보다 더 많은 크기의 생각과 마음의 짐을 던졌는데 밤이라고 해서 더 높이 떠밀려오지 않는다. 바다가 깊은 걸까 아니면 내 고민이 이 사소한 것이었나.

4/8 :

당신을 좋아한 그때 그 시절은 마냥 즐겁지 않았다. 수많은 사람 중에서 당신이 내 운명이길 바랐지만 함께하는 시간이 길어질수록 아니라는 것을 말해주는 것만 같았다. 반대되는 성향과 내가 싫어하는 행동일지라도 당신이 하는 것은 괜찮다며 웃어넘겼던 적도 많다.

참 늦게 떠나보낸다.

혼자 의미 부여했던 당신과의 기억은 나에게는 아픈 선물이었다. 당신은 나에게 따뜻한 바람에 피어난 벚꽃이지만 당신에게 나는 눈에 덮어버리고 싶은 항아리였을 테니까 말이다.

그리 녹록지 못한 마음에 동전이 되어줘서 고마울 뿐이다. 오래된 동전을 미련하게 닦아 보관하느니, 버리는 법을 선택하려고 한다. 이제 그 동전은 희귀한 것이 아니기도 하니까 말이다.

4월 9일 : 당신이 웃을 때 나는 죽고 싶었다.

나는 사람들의 시선을 피해 가며 무심한 척하는 것 같다. 남들에게는 재미없는 사람이다. 그런 나인데 당신은 나와 함께한 순간이 행복하다 말한다. 작고, 큰 표현들에 내가 살아있음을 느낀다.

당신의 미소에 내 죽음을 맡기려고 한다. 서툰 표현과 모진 말에 어색한 관계가 되었지만 당신을 미워한 적 없고, 되려 우리 함께했던 모든 순간을 마음속 깊이 감사한다. 새길, 새벽에 사라질 별의 이름이다. 시간이 지날수록 희미해지는 기억들이 아침 햇살에 가려지기 전에 더 강렬히 빛내보려고 한다.

별과 벚꽃을 좋아하는지 알게 됐다. 그건 아마도 가장 아름다울 때 낙하했기 때문 아닐까. 내 꿈은 가깝고도 먼 미래, 언젠가 사라질 내가 당신의 별이나 벚꽃이 되는 것이다.

4/10 :

그가 말한 행복이 궁금해서 집을 나선다. 추위와 더위를 버티고 다리에 힘이 빠질 때까지 걸어본다. 사진을 찍고 예쁜 것들만 선별해서 관심을 구걸해 보기도 한다. 와닿는 게 없어서 다시 한번 다리 힘이 풀릴 때까지 돌아다니고 시간을 허비한다.

지친 나는 쓰러졌고 내 방 침대 위에서 눈을 뜬다. 처음으로 눈에 들어온 건 화분 안에 피어나는 새싹이었다. 이제서야 깨닫는다. 나의 행복은 남에게 보여주려는 취미나, 자랑이 목표가 아니었다는걸.

내 입맛에 맞게 변화시킨 곳에서 벗어나면 더 특별하고 행복해질 거라는 착각이 나를 힘들게 만든 것이다. 덕분에 나는 어울리지도 않는 가상 현실에서 벗어날 수 있었다.

4/11 :

기준점도 없이 성공을 외치는 시대다. 열등감은 높아지고 자존감은 낮아진다. 쉬운 길을 택하면서 타인이 고생한 만큼의 결과를 원한다. 능력 부족으로 인한 결과가 나이처럼 늘어간다. 부끄러운 변명으로 부족함을 채우는 일이 잦아진다. 이는 거울을 보기도 전에 자신의 단점을 흐리게 만드는 착시현상과 비슷하다.

꿈과 목표가 없어진 내 모습은 더욱 초라하다. 어른들이 물었던 꿈과 목표는 무엇이 되고 싶은지가 아니라, 어떻게 오래 살고 싶은지였던 것 같다. 성공을 외치기도 전에 평범한 삶조차 이루지 못하고 죽어가고 있다.

4/12 :

    너의 장단점이 무엇이냐는 질문에 머뭇거리는 사람이 있는 반면, 기다렸다는 듯이 유창하게 말하는 사람이 있다. 말문이 막히는 사람은 생각해 봤지만 어떻게 정리해서 정의할지 고민하는 경우가 많았고 기다렸다는 듯이 말하는 사람은 자신을 잘 알아서 하는 말보다는 타인이 이렇게 봐줬으면 좋겠다는 식이 대부분이었다.

    한때 나도 이런 사람, 이런 성격을 가졌다고 생각한 적이 있다. 작은 단점이란 살을 주고 상상 속의 장점이란 멋있는 뼈를 취하는 식의 포장된 화술을 사용하는지 몰랐으니까. 단점은 전부 다 맞지만, 장점은 아니었다는 것을 말이다. 반대로 망설임은 진실로 나를 생각하기보다 누군가의 말로 이루어졌다는 것을 뜻하기도 했다. 나를 좋게 봐준 이들의 칭찬 속에 장점을 되짚어 보기만 하고 본인에게 물어보진 않으니까.

4/13 :

오랜만에 집을 나선다. 자주 갔던 길을 걸어본다. 변한 게 별로 없어서 같은 그림을 수 년째 보는 느낌이 든다.

아름다운 풍경을 자랑하는 공원이나 강가도 좋았지만 사람이 북적이는 거리도 나름 괜찮다. 이 모든 것들이 지루하게 느껴지면서도 새롭다.

"나는 늘 깨어있었는데 왜 지금에서야 이쁘게 보이는 걸까." 궁금해지는 순간이다.

4/14 :

　아이든 어른이든 나이에 상관없이 각자가 마주한 위치에서는 힘든 상황이나, 큰 위기가 찾아온다. 지나간 경험이 쉽다고 이야기할 수도 없는 노릇이며, 어느 쪽이 더 힘든지 비교할 수 없다. 지나고 보니 쉬웠다고 생각하는 일도 과거의 내가 힘겨워했던 상황이니 말이다.

　간혹 어떤 사람은 나이에 맞는 게 무엇인지 모르면서 나이에 맞는 걱정을 하고 극복하라고 한다. 힘듦을 공감하지 못하는 이가 많다. 이 말을 이해한다는 사람 중에서.

4/15 :

　　<주제>는 변하는데 내용은 욕으로 시작해서 욕으로 끝난다. 풍부한 표현력이 점점 줄어든다. 변한 세상이 맞는 걸까 아니면 변해가는 생각이 맞는 걸까. 시곗바늘의 움직임은 이내 얼마나 더 뒷걸음을 쳤는지, 헛걸음을 했는지 알려주는 쓴소리로 변해간다. 오늘도 '주제'는 변하고 시곗바늘은 움직인다. 말과 생각은 단순해지고 변해가는 시간에 잠식되어간다.

　　나의 삶은 자연스럽게 뱉어내는 단어와 내용에 담겨있다는 걸 다시금 깨닫게 되는 순간이다.

4/16 :

　　생각해 보니 참 웃긴 일이다. 위로받기를 희망해서 쓴 글이었는데, 남에게 상처를 준 가해자가 더 크게 고개를 끄덕이며, 타인의 공감을 원한다. 기억하기 싫은 그날로부터 <위로> 같은 웃긴 이야기를 코로나 시대에 자가격리 시켰다

4/17 :

　요즘 들어 '권리'라는 벌레가 들썩인다. 어떤 사람의 말을 듣고 행동을 보면서 내 주변 사람은 그 벌레에 갉아먹히지 않았으면 하는 바람이 크다.

　하긴 여기서도 그러는데 음식이나 문화가 바뀌는 곳에선 오죽 잘 보일까.

4/18 :

힘들다고 겉으로 드러내는 사람보다 힘드냐고 물어보는 사람이 대단한 사람이다. 상대를 생각할 줄 아는 것도 선천적인 공감 능력과 후천적인 경험이 필요하니까.

4/19 :

　　감정을 표출하거나, 내적인 고민을 드러내선 안 된다. 약점의 문제보다 내가 하는 모든 말에 의미 부여와 해석이 달라지는 게 크다. 시간이 지나면 알게 된다. 내가 힘들면 정신병자, 그대가 힘들면 세상을 구한 영웅.

　　자신의 판단이 옳다고 믿는 조언자가 많다. 나의 환경과 생각을 조금 안다고 하는 버릇없는 예언가가 참 많다.

4//20 :

'고집'을 부리는 이유는 비슷한 일을 겪어봤기 때문이다. 반대로 '수긍'의 이유는 현재에 필요로 하는 환경이 되었기 때문이다.

뻔한 말이지만 자신을 돌아보고 상대방을 이해하기 좋은 말이기도 하다.

4/21 :

　안 좋은 사람이라고 확신했던 이유는 내가 그와 다를 바 없는 말을 하고 행동했던 사람이었기 때문이다. 잘못된 것은 똑같은데 나이에 맞게 변화한 표현의 무게감과 상황의 크기만 달라졌을 뿐이다. 그들도 맞지 않은 사람과 안 좋은 사람을 구별할 줄 안다. 생각해 보면 구별할 수 있게 된 이유도 3가지로 나뉜다.

　잘잘못을 아는 사람.
　그게 아니라면 방관자
　혹은 가해자.

4/22 :

　평범한 대화를 해도 기분 상하게 하는 사람이 있다. 자신이 뱉고 있는 단어의 뜻도 모르면서 시인이나, 철학자처럼 말하려고 한다. 자신의 언행이 틀리지 않다는 사고(思考)가 강해서 타인의 감정과 분위기를 이해하지 못하기도 한다. 그저 넘길 수 있는 문제점은 시간이 지나거나, 본인의 깨달음에서 나아질 순 있지만 아무도 그를 기다리거나, 이해하지 않는다.

　기분 나쁜 어투는 살아온 환경과 삶의 결과이자, 고칠 수 없는 병이기 때문이다.

4/23 :

　　전등의 수명이 다했는지 깜빡거리기 시작한다. 까치발을 들고 얼굴을 위쪽으로 바라보는 순간 생각한다. 나도 눈물이 나올 때 애써 참아보려고 눈을 깜빡거리지 않았나. 전등을 고치면서 다시 한번 깨닫는다. 순간 쏟아지는 감정은 한 번에 오지 않는다는 것을 말이다.

4/24 :

나는 사랑이라는 단어를 팔아서 무관심을 사 온 자식이다. 자식의 무관심과 모난 행동을 알면서도 어머니는 걱정한다. 죄스러운 마음을 느끼면서도 나는 타인에게 사랑을 구매하고 그녀에게는 무관심과 편안함을 판매한다. 그럼에도 진실한 사랑을 주는 당신을 멀리하고 나를 가볍게 생각하는 사람들에게 마음을 다한다.

오늘도 어머니는 나에게 말한다.

"엄마 없으면 이렇게 하면 된다."

4/25 :

　급하게 재촉한 걸음이 생각지도 못한 풍경 앞에서 멈춘다. 청량한 하늘에 걸쳐진 풍성한 꽃과 나뭇잎은 나를 기다리고 있었다는 듯이 싱그럽다. 마스크를 관통하는 분홍 냄새는 스쳐가는 바람에 섞여 골목 구석구석 퍼진다.

　나를 조급하게 만드는 시간과 현실에 안정감을 선사한 이들에게 손을 흔든다. 눈 감으면 사라질 아름다운 풍경에 걸음을 멈춰본다. 지금 이 순간만은 기억해 보자며, 주변을 둘러보기 시작한다.

　퇴근길, 지하철, 한강, 황금빛 노을.
　이 단어들을 조합하면 꽤 근사하지 않나.

4/26 :

상처받기 싫은 나는 순수 해지 위해 노력한다. 당신에게 순수함은 상대를 낮추기 위한 순진함이겠지만 나에겐 마음을 내려놓는다는 의미이다.

어떤 의미로 불리든 나의 순수함은 유기견과 비슷하기도 하다. 쉽게 버려지고 잊히고 거절해도 되는 마음. 두려운 환경에서도 꼬리를 흔들고 밝게 웃으며, 다른 이를 기다리는 존재다. 상처를 떠올리기 전에 손을 내밀고 꼬리를 흔들며 반긴다. 배신감과 분노에 포기하고 있으면, 따스한 손길이 다가오지 않는다는 것을 안다. 미소 짓거나, 순진하다고 하여 모르는 건 아니었다.

마음을 단단하게 먹기 위해 불순물이 섞인 상처를 씻어내고 아무렇지 않게 행동하려고 마음을 비울뿐이다.

4/27 :

반바지와 후드티를 입어도 땀 흘리지 않은 온도. 선선한 바람이 밤낮으로 부는 4월은 쾌적하다.

웅크린 풀이 바람의 지도하에 서서히 걸음마를 연습하는 시간. 정신을 통제하는 설렘과 긴 밤이 끝나가는 것을 알려주는 새벽의 안개 소리. 창문 틈 사이에 스며드는 풀 내음과 이웃집 세제 냄새. 가방을 메고 유치원에 다녀온 파란색 모자를 쓴 아이의 모습. 벚꽃 피어나는 공원을 산책하며, 사진을 찍는 사람들을 볼 때마다 겨울바람이 녹아가는 이 계절이 좋음을 느낀다.

이 계절에 반할 때마다, 좋은 것을 볼 때마다 스스로에게 질문한다. "나는 이 좋은 세상에 살아가도 괜찮은 존재인가."에 대해.

4/28 :

탐정놀이, 현자 놀이에 푹 빠져든 사람이 늘어간다. 어떤 소설이, 어떤 영상이, 어떤 드라마가 당신을 그렇게 만들었나. 어이없게 만드는 사람이 늘어갈수록 내 마음의 표현 또한 가벼워진다.

점점 내 마음이, 내 생각이, 내 환경이 그렇지 않더라도 그대가 그렇다면 그렇게 되는 세상으로 변해가는 듯하다.

그래 네 말이 다 맞다.

あほう.

4/29 :

몸이 지친 퇴근길은 시야마저 흐릿하다.

　　노른자가 터진 노을 풍경은 윤기가 가득해 추상적인 유채화 같아 보인다. 구름에 담긴 증거 없는 고단함은 설탕 덩어리처럼 타들어가며, 어두운 밤을 만들어간다. 조금만 더 일찍 낯간지러운 밤바람이 불기를 바란다. 나의 행복은 타버린 고민과 떠밀려오는 불빛에서 시작되니까.

4/30 :

안개 가득한 호숫가에 배를 띄운다.

물소리, 새소리, 나뭇잎 소리, 하늘 아래 바람과 밝게 타오르는 태양, 빛을 희석시키는 구름으로 앞이 흐릿하다. 만물을 깨우는 노 젓는 소리가 울려 퍼진다. 이 호수 아래엔 물고기가 살지 악어가 살지 미스터리에 쌓인 '네스호의 괴물' 살지, 아니면 '메갈로돈'이 존재할지 아무도 모른다.

가끔 보이지 않은 공포가 나를 집어삼킬 때마다 더 힘껏 노를 저어보지만 앞으로 나아가지 않는다. 노가 부러진 것일까 아니면 아래에 있는 어떤 생물이 방해하는 것일까. 눈에 보이지 않는 공포가 육체까지 마비시킬 때쯤 잡다한 생각들이 주마등처럼 스쳐 지나간다. 이내 나는 모든 것을 포기한 채 배에 가만히 드러눕는다. 이윽고 저 멀리서 등대처럼 빛나는 불빛과 그림자를 발견한다. 포기할 때 찾아온 건 손에서 떠나보내려던 미련인가 아니면 사랑인가.

나의 모든 7월

생명의 온도는 나를 예민하게 만든다.

쏟아지는 비와 땀으로 젖어가는 옷.
수면을 방해하는 모기와 벌레.
바람 하나 불지 않은 야박한 날씨.

영혼을 따뜻하게 감싸주는 빛이 강해질수록
감정은 무지개색처럼 다양해진다.

비에 젖은 풍경을
불안과 불만으로 말려도 괜찮을까.

7/1 :

　본인이 해야 할 당연한 일을 남이 대신해 주어야 '친절' 하다고 말한다. 낮은 자존감과 보여주기 식의 여유, 부족한 능력을 감추기 위해 모방을 택하는 소중한 자신이 되어가는 요즘에는 더더욱.

7/2 :

편안한 분위기를 자아내는 그들은 현명하고 냉정하다. 그들 중에서도 예민한 이는 작은 장난이나, 오해를 전달하지 않기 위해 침묵을 선택하기도 한다.

조심스러운 그들에게 이유를 물어본다. 자신도 모르는 상처를 주는 말이나, 분위기에 쉽게 녹아든 가벼운 관계를 피하기 위해 투명 인간을 선택한다고 말한다. 혹여 문제가 발생하더라도 사소한 오해에서 부풀어지는 소문과 시작조차 하지 않은 위험한 관계를 처음부터 차단하기 위함이라.

이 모든 것이 자신을 소중하게 여기는 만큼 타인을 소중하게 여기는 유일한 방법이라고 한다. 사실 그들은 재미없는 사람이 아니라, 위험한 사람을 일찍 발견한 것일지도 모른다.

7/3 :

　진흙탕 싸움에서 허우적대는 어리석은 이의 공통점이 있다. 현재 진행 중인 싸움에서 목소리를 키우는 게 첫 번째 조건이다. 그다음 말싸움과 연관도 없는 과거의 잘못을 언급하며, 의미도 모르는 '팩트'라는 외국말을 애용한다.

　제삼자가 봤을 땐 당신이 현명한 사람이 되었을 테니, 말이 안 통하는 사람에게 공격받았다고 분노할 필요가 없다. 그럼에도 참지 못하겠거든 날이 지나가기 전에 날카롭고 현명한 답을 만들어 한껏 들뜬 어리석은 이의 심장에 사실을 꽂아 비틀어라.

　지질하거나, 똑같은 사람이라고 생각하지 않아도 된다. 현시대는 자신이 어리석은 줄 모르는 이들이 판을 치는 시대니까.

7/4 :

말싸움하는 일이 생길 때마다 아무것도 모르는 척하며, 회피하는 편이다. 상대방이 무슨 말을 하려는 지도 알 것만 같았고 그 이후에 어떤 일이 일어날지 예상이 돼서 상처받지 않을 준비를 단단히 하는 편이었다. 감이 좋은 편이라, 과정과 결과를 완벽하게 맞춘 적도 많았다. 가끔은 예상했던 결말이 내가 뱉은 말 한마디에 없던 일이 될 것 같아서 조용히 있거나, 상대방이 착각하는 대로 대화를 이어갔다.

공격적인 말을 하는 사람이 더 쉽게 상처를 받고 토라지는 걸 알기에 마음 약한 나는 자연스럽게 방어하는 사람이 됐다. 자연스러운 방어는 생각 없이 행동했던 과거의 나에게 양심이 찔린 탓일지도. 엉켜있는 수많은 생각이 정리되지 않아서 그럴지도 모른다.

생각이 많고 예상한 들 "사실은", "그게 아니라", "원래"라는 단어를 꺼내 회피를 시도한다. 언제부터 이런 생각을 지니고 있었는지 모르겠다. 아주 오래전 사소한 일에도 밤새 걱정하고 울어대던, 마음 약한 어린아이의 자기 방어가 하나도 고쳐지지 않았나 보다.

7/5 :

　　당신이 저를 평가하는 것처럼, 나도 당신의 모습을 관찰하며 평가했습니다. 단지 당신처럼 행동했을 뿐인데 나에게 다 아는 척하는 태도를 취하지 말라고 화를 냅니다. 그런 당신은 무엇을 얼마나 알기에 나와 세상을 이해하고 평가한 것인지 의문스럽습니다.

7/6 :

우는 연기가 끝난 아가를 품에 안고 돌본다. 거짓된 삶을 살아가는 내 모습이 보인다. 우물에 빠진 어린 나를 건져달라고 말한다. 기나긴 하루가 괜찮다며, 마음을 내려놓고 따스한 햇빛을 양분 삼아 걷는다. 초침에 맡긴 몸은 7월이 돼서야 멈춘다.

멈춰본다. 이제야 멈추고 싶은 길 위에서 무의식 속에 잠긴 피해의식에서 벗어난다. 노을과 이별한다. 더 이상 나를 상상 속에 맡기지 않으려고 마음먹는다. 내일은 뜨거운 더위를 느끼고 비를 맞으며, 이 더위와 비가 싫다고 말하려고 한다. 착한 사람이 되겠다는 다짐을 멈추고 원래의 나로 돌아간다.

멈추고 나서 다행이라고 말한다.
눈앞에 지뢰가 가득하다.

7/7 :

세상에서 가장 불쌍한 사람은
성공할 때 친구 찾고
실패할 때 가족 찾는 사람이다.

자신감과 기고만장은 한 끗 차이였다. 양심과 반성이라 해봤자 새로 산 공책의 앞부분 정도밖에 안된다.

사교와 비즈니스에 큰 차이점이 없는 것처럼. '생각해 보면' 보여주는 것과 보이는 것에 따라서 의미가 달라질 뿐 당신이 경험한 요즘 사회는 '그' 경계선이 더 모호하지 않나.

이해되지 않은 시대를 영화처럼 만든다. 이내 자신을 사랑하는 이기심과 기고만장을 자존감이나, 자신감이라 승화시켜 콘텐츠라고 부른다.

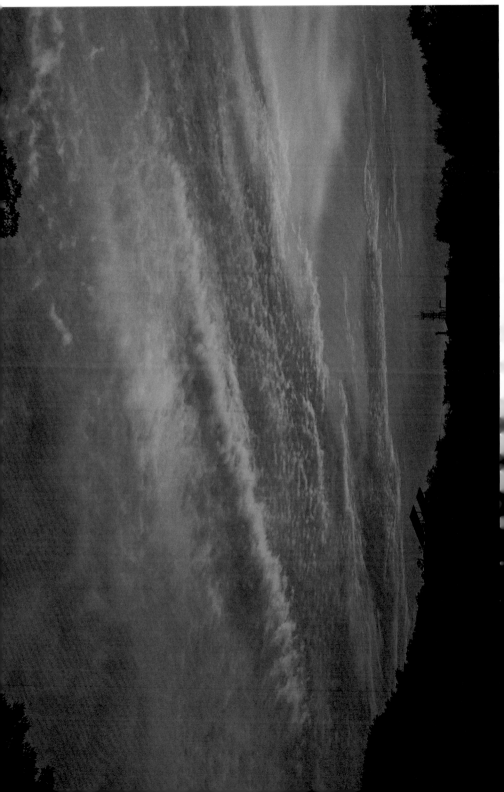

7/9 :

　자존심이 무엇인가. 부질없는 고집 하나로 떠나
보낸 좋은 사람 여럿인데. 여유나 자존감, 겸손 그 모
든 것들을 타인이 아니라 내 입장에서만 생각했는데
말이다.

　불편한 여름이라서 그랬을까.

"저를 사랑하는 법을 알고 싶어요."

"충분히 자기중심적인 세상에서 이기적으로 잘 사는 네가 자존감이나 스스로를 사랑하는 법을 찾게 된다면, 잘못을 합리화하고 타인과 상황을 탓으로 발전시키기 마련이란다. 본인도 모르게 말이야."

"저는 그런 사람이 아니에요."

"너는 여태 자신을 아낀다는 다른 이들처럼 피해를 준 사람이기도 하며, 자신의 상처만 생각하지 않았니."

"아무것도 모르면서 내 말을 들어봐요. 일반화의 오류입니다. 똑같다고 생각하지 마세요"

"그거 란다. 누구도 '일반화의 오류'를 말하기도 전에 자신이 '오류를 범 했던 일'을 생각하지 않아."

7/11 :

　자존심 위에 서 보았다. 두 발을 위에 올리고 발바닥에 무게 중심을 주었다. 어린아이처럼 펄쩍 뛰어올라 내려왔을 때 이렇게 깊을 줄 몰랐다. 어릴 땐 이곳저곳 깨도 아무렇지 않았는데 말이다.

듣기 좋은 소리로 깨지던 얼음장은 어디로 갔을까. 성인이 되고 이상한 것들만 단단해졌다. 언제부터 얼음장은 바다가 되었을까.

　쓸데없이 깊다.
　생각도 행동도, 모든 게.

7/12 :

여름이 다가왔다. 풀잎과 나뭇가지는 쉴 새 없이 쏟아지는 비에 힘없이 떠내려간다. 비가 멈춘 하늘은 온도를 따라 파랗게 물들어간다. 살아남은 생명은 연주를 시작했고 따가운 햇빛에 머리를 숙여가며, 자리를 찾아가는 듯했다. 마음이 분주해지는 계절에 나를 맡긴다는 것은 축복인가, 저주인가.

점점 더 길어지는 여름의 시간은 모순 덩어리가 되어간다.

7/13 :

　대부분의 부모는 자신의 능력보다 자식의 일거리를 사랑한다. 나조차 예외일 수 없었다. 보여주는 게 전부인 세상에서 부모조차 이해하지 못하는 나의 일과 삶을 그럴듯하게 포장이라도 해야만 할까 고민한다. 사랑은 이렇게 시작된다. 그들이 이해하지 못하는 나의 존엄성과 가치를 해명해야 하는 것에서 말이다.

　부모도 내가 달려온 길을 모르면서 열심히 산다고 빈말을 한다. 나는 사랑을 원했는데 어른들의 사랑은 마른안주와 같은 나의 자랑거리다. 누군가에게 사랑은 마음을 나누는 과정에서 싸우며, 보듬어주는 것인데 나에게 사랑은 설명과 증명이다.

　유치한 고민을 계속한다. 부모는 정말 나를 사랑하는 것인가 아니면 사회 공헌과 위치를 자랑하기 위해 품은 것인가 궁금해지는 때다.

7/14 :

　소년이 어느 날 소녀 같아진다면 아빠가 된 것이고 소녀가 어느 날 소년 같아진다면 엄마가 된 거라고 생각이 들었다.

　미안하다. 소년, 소녀로 남고 싶었을 부모에게.

7/15 :

해맑은 표정을 짓는 당신에게 질문을 던진다.

"요즘 괜찮나요?"

괜찮지 않았다. 보이는 것과 달리 심각한 정신병을 앓고 있는 듯하였다. 타인에게 좋은 모습을 보여주려고 웃었고 자신을 방어하기 위해 웃고 다녔던 것 같다. 대화가 깊어질수록 당신이 모르는 사실을 내가 발견한다. 타인에게 맞춰주는 게 더 편하다는 당신은 자존심 상한 만큼 더 크게 웃는 법을 선택했다는 것이다. 당신을 이 지경까지 만든 그 손님이나, 동료, 친구, 가족들은 당연히 모를 것이다. 알았다면 이렇게 되지 않았을 테니 말이다.

7/16 :

　자기 자신을 알지 못하면, 남들이 어떻게 자신을 바라보는지에 의존하고 인정받기를 바라게 된다.

　당신에 대해서 함부로 얘기하는 것은 아니며, 그렇게 보이기에 하는 말이다. 타인이 잘 되는 것을 보고 질투하지 말고, 자신의 불만족스러운 삶을 타인과 비교하여 합리화하거나 속셈을 내놓지 말아야 한다.

　남들이 잘 되는 순간을 진심으로 축하하고 박수를 치는 사람이야말로 자신을 사랑하는 사람이다. 두 귀로 듣고 이해할 수 있는 사람은 자신을 잘 아는 사람뿐이라는 것을 알아둬야 한다. 알고 있었거나, 알겠다면 지금부터라도 당신의 두 귀와 마음을 열어두는 건 어떨까.

7/17 :

생각해 보면, 미소 짓게 되는 순간과 오류가 끼어 있는 기쁨의 흐름 사이에서의 대조를 느낄 때가 많다. 순간의 아름다운 광경이 원동력이라면, 오류는 새벽에 머물러 있는 신선한 공기라고 생각한다. 큰 것과 작은 것은 없으며, 그 끝엔 생각으로 채워야 할 공허가 있음을 깨닫게 된다. 크기나 희소성보다 중요한 것은 그 순간이 나에게 위로를 주고 더 나은 내일을 만들어주는 계기가 되기 때문이다. 이 모든 것들이 나를 위한 큰 선물이었다는 사실을 생각하면, 그 어떤 것도 사소하지 않다.

타인과의 비교하기보다는 내 삶 속에서 원동력이 무엇인지를 깊이 생각한다. 추운 겨울에 집이 있다는 것도, 힘든 출근길과 퇴근길, 샤워를 마치고 침대에 누워 누군가와 연락하며 느끼는 새삼스러운 감정, 잠들기 전에 앞날의 걱정과 과거의 아픔을 털어내는 모든 행위가 내 원동력이었다. 가벼운 말과 행동이지만 돌이켜보면 그 모든 순간들이 필요했다. 밝음과 슬픔은 서로 연결되어 있고, 내 행복은 지나가는 바람에 맡겼으니.

7/18 :

    마른 화분에 물을 주는 법과 물을 건강하게 마시는 법은 간단하다. 조금씩, 많이, 차가운 온도는 피하면 된다. 영양소를 완전히 흡수해서 배출할 때까지 기다렸다가 다시 물을 보충하면 된다. 보이지 않는 뿌리가 썩거나 장에 자극을 주지 않도록 천천히 많이.

    사람의 마음도 이와 같다. 사랑에 담긴 배려와 친절도 조금씩 나눠주는 영양분이 돼야 한다. 한꺼번에 모든 것을 주고 가만히 지켜보면 잎은 시들고 감정은 예민해진다.

네 마음은 영양분이 되었으면 좋겠다.

나와는 달리.

7/19 :

예쁜 사진을 얻으려면, 어떻게 보는지도 중요하지만 어디서 보는지가 더 중요하다.

행복해지는 방법도 같다. 좋게 보려고 하는 것보다. 좋은 환경에 있는 게 더 중요하다.

좋게 보고, 좋게 생각하려고 애쓰는 것보다 처음부터 좋은 곳에 있으면 힘을 낭비할 필요가 없다는 것이다.

그게 사람이라면 더더욱.

7/20 :

사람은 쉽게 변한다. 좋지 못한 버릇이나 습관이며, 언행에 변함이 없는 이유, 자신의 단점과 잘못을 알면서도 고칠 생각 없는 이유는 걱정이나, 아픔이 죽을 만큼 아프지 않아서다.

하나 더 있다. 죽는 게 더 편할 것 같다고 하는 이들의 아픔과 잘못을 듣다 보면, 아픔은 자신 것이고 잘못은 타인의 것이다.

7/21 :

"잘 자"라는 말보다 슬픈 말이 있을까.

그대 영정 사진 앞에서 참았던 슬픔이 화근이 됐는지 그때의 상황과 모습이 떠올라 혼잣말을 하거나, 머리를 흔드는 버릇이 생겼다. 언젠가 다시 만날 것 같아서 잘 가라고 말하지 못했다. "잘 자." 그대에게 뱉은 마지막 말이었다. 그대 깊은 잠에서 깨거든 우리 꼭 다시 만나자.

나는 그대를 떠나보낸 지 오래인데 아직 잘 자라는 말을 쉽게 뱉지 못한다. 마음의 준비가 아직 안 됐나 보다.

7/22 :

그날의 후쿠오카는 초록색과 노란색이 섞여 비의 먹이가 되었는지 여름이 되어있었다. 시간이 얼마나 흘렀을까 운이 좋게도 우리는 그날 분홍색을 꽃에 던져주어 끝나가는 봄 날씨를 맞이했다. 비행기를 내릴 때 느낀 무거운 공기, 회색과 파란색의 절묘한 조화가 선물해 주는 시원한 바람. 따스한 햇살을 더한다면 뻔한 날씨가 되었지만, 그게 아니라서 더 좋았다. 이곳에 도착하기 전에 계획한 지출은 감성으로 가득한 거리와 음식 냄새로 의미가 없어졌다.

몇 달이 흘러 좋았던 그때의 순간을 느껴보자며, 혼자 그 거리를 돌아다녔고 새로운 곳을 찾아보기도 했다. 그럼에도 채워지지 무언가에 술을 마시며, 흐느끼고 울었다. 오늘 내가 걷던 시간에 당신들과 함께해서 좋았던 후쿠오카 인지 아니면 내가 좋아하는 후쿠오카에 당신들이 있어서 좋았던 건지. 한참을 생각하다가 잠에 들었다. 당신들이 내일 아침 공항에 왔으면 좋겠다고 생각한다.

7/23 :

꿈을 꾸는 건. 삶의 파편들을 망각에 숨겨 밤하늘의 별자리로 만드는 것과 비슷하다. 하나의 별이 상처입고 아물다 보면 별자리가 변한다. 매일 다시 태어난다. 흐르는 망각이라는 강에 오늘도 파편을 띄우면서 위치만 바뀌는 희망의 빛을 기대한다.

7/24 :

　　겨울밤 하늘의 별(別)들이 벌거벗은 채로 떨고 있다. 내가 입은 옷을 걸쳐주면 인생에서 가장 활기찬 봄이 될 것만 같았는데 너무나도 멀어서 벗어주는 시늉만 했다.

아직 내가 사람임을 느낀다. 내 몸속의 순수한 온기가 다 빠져나가지 않았나 보다.

7/25 :

타인들은 나에게 별로 관심이 없다. 나 또한 타인을 평가하거나, 이해하기 귀찮아서 적당한 거리를 유지한다. 무엇보다 나에겐 타인을 평가하고 이해할 자격이 없다는 걸 안다.

똑같은 생각을 가지고 있어도 고요한 상황과 관계 속에서 무시당하는 사람이 존재한다. "이 정도면 욕먹지 않겠지"라는 생각 때문이다. 남들과의 관계에서 자신을 잘 보호하려고 하다 보니 무시당하는 상황이 발생하는 것이다.

자기 보호의 욕구와 이미지 관리에 너무 매몰되다 보니 결과적으로 자신을 노출시키는 상황이 생겼기 때문이다. 현실이든 가상이든.

7/26 :

"해주겠니?"

"해라"

멀어지고 싶은 사람과 오래 머물고 싶은 사람이 되는 방법은 어려운 게 아니다. 표현의 방법에 대해서 조금만 더 생각을 하면 주변에 머무는 사람과 환경의 질이 달라진다.

7/27 :

사이가 가까워질수록, 보이지 않는 벽을 더 높게 쌓았다. 가까이서 봐야 이쁘다는데 나는 오히려 먼 곳에서 바라봐야 더 아름답고 관계를 오래 유지할 수 있다고 생각한다.

요즘 세상은 없는 상처를 만들어내는 공상가가 많아서 더 두껍고 높은 벽을 쌓아야 내가 안전하다.

7/28 :

　　무더운 더위가 언제 끝날지 모르는 상황이었다. 짜증이 올라오는 마당에 파리 한 마리가 책상 위에서 손을 비빈다. 손짓으로 물리쳐도 제자리로 돌아오는 파리에 지쳐버린 나는 악수라도 하자는 마음에 손가락을 천천히 움직였다. 신기하게도 움직이질 않는다.

　　참 웃긴 일이지만 파리를 통해서 다시 한번 배운다. 파리조차도 허리를 굽히고 머리를 숙일 줄 알며, 겸손하고 온화하게 다가가면 머물 줄 아는데 사람이라고 그렇지 않겠는가. 내려치는 손바닥 피할 줄 알고 그게 정령 죽는 게 아니더라도 공격적인 태도가 피하고 싶은 것임을 파리조차 아는데 사람이라고 다를 바 있겠는가.

7/29 :

　의미 없는 상처로 본인을 괴롭히지 말고 아물어 줄 수 있는 사람과 시간을 채우길 바란다. 모르는 마음을 채워줄 수 있는 건 당신을 아는 사람이다. 그런 날이 다가온다면 처음으로 그와 그들에게 최선을 다하기를 바란다.

　혼자 힘든 경험을 하는 것도 아니다. 모든 이들이 당신과 같은 상처 덩어리를 짊어지고 살아간다. 나만 아프다고 하지 말고 타인을 치료할 줄 아는 이를 만났으면 좋겠다. 타인을 치료할 줄 아는 사람은 본인의 상처쯤 아무렇지 않게 회복하니까. 그러기 위해선 당신이 그런 사람이 되어야 한다.

7/30 :

"이해하지 못하는데 존중한다."

세상에 이런 말장난이 어디 있을까. 내가 경험한
바로 그들은 이해 못 할 행동을 하면서도 남에겐 존중
하라는 말을 한다. 참 이상한 말이다. 이해가 안 되는
데 어떻게 존중이 가능한가. 이건 언제까지나 SNS에
서만 가능한 방식이다.

7/31 :

　걸음걸이를 의식한다. 나의 품위는 걸음걸이나 손짓, 표정으로 결정된다. 자세가 자연스럽지 않을 땐 다른 사람의 걸음걸이와 표정을 따라 한다.

　턱을 뒤로 당기고 머리에는 책이 얹혀 있는 느낌으로 척추를 쭉 펴고 한 걸음씩 당당하게 걸어간다. 다리가 꼬이면 거리에 하얗게 그어진 선을 의지한다.

　그래도 안되면 빠른 걸음으로 자존심이라도 지켜본다. 아무도 없는 새벽 공원에서 품위를 지키고 없는 눈치를 만들어낸다. 자존감이 떨어지고 마음이 여유롭지 않다는 것을 이렇게 포장한다.

7월 마지막.

당신이 연애를 못하거나, 만날 사람이 없다는 것에 크게 고민할 필요 없다. 당신이 원하는 사람 입장에선 당신을 굳이 만날 필요가 없으니까 말이다.

자기 객관화도 못하는 당신은 아직도 사람을 상대로 룰렛을 돌리고 있지 않나.

그만 돌리고 정신 차릴 때가 됐다.

정리하는 10월

선선해지는 듯하면서도 더위에 땀이 가득하
다. 애매해지는 날씨처럼 모든 게 다 그렇게 느껴진다.

흘려보내면 되는 고민을 다시 한번 깊게 생각해
볼 필요가 있다. 10월은 정리하는 날이기도 하다.

쓸모없는 고민이 있을까 싶기도 하다.
겨울이 다가오기 전에 정리하고 지워야겠다.
잡생각으로 잠 못 드는 것보다 억울한 건 없으니
까.

10/1 :

　　"미안하다"라는 말에 진정성이 없는 경우가 많다. 분위기나 상황에 휩쓸린 선 넘은 장난에도 웃어넘기거나, 상대방의 자존심을 지켜주기 위해 일부러 참고 넘기는 사람이 있다. 장난친 사람들은 자신이 뱉은 말이 어떤 의미로 전달되는지 모른다. 그렇기에 진실로 미안하다는 말을 하지 못한다.

　　어른이 되는 과정은 간단해 보이지만 심오한 생각과 용기가 필요하다. 진심으로 미안하지 않은데도 미안하다는 말로 떡밥을 던지는 것도 좋지 않다. 그게 버릇이 되면 장난식의 미안하다는 말을 잘하면서 상대방이 진지할 땐 미안하다는 말을 하지 못한다.

　　추후 피해자의 입장에서 숨으려고 하는 우리 자신과 그대를 보며, 우리는 진심 어린 사과를 준비해야 한다는 생각이 든다. 그게 바로 당신이 되고 싶은 어른이자, 전달받고 싶은 진정성이다.

10/2 :

"화를 내기보다 기회를 주었을 뿐이야."

내가 힘들면 타인도 힘들 것이라고 생각하며 나를 사랑하지 않은 것을 후회한다. 우리의 관계도 타인과 다르지 않았다. 가끔은 작은 일도 커지며 큰일로 불어날 때도 있었지만, 내가 희생해야 하는 순간이 찾아왔을 때도 괜찮았다.

혼자 사는 세상이 아니기에 쉽사리 감정을 표현하는 것은 어려운 일이다. 그대가 여러 번 화를 낸다고 할 때, 나는 한 번 화를 내주는 것으로 위태롭게 관계를 유지하고 있는지, 계속 유지해도 좋은 사람인지 아니면 없는 게 나은 사람인지 고민하고 있을 뿐이다.

10/3 :

유명한 것은 아무런 의미가 없다. 셰익스피어, 베르나르 베르베르, 모차르트, 히사이시 조, 다빈치, 호크니 등 많이 알려진 작가와 예술가들의 고전과 현재의 작품을 추천하는 사람을 만난다. 하지만 그가 추천하는 이유는 유명하거나 높은 가격 때문이며, 본질은 없다. 다가오는 시대는 이해하기 어려울수록 가치가 높아지고, 깊은 안목을 가진 사람들이 희소해진다.

이러한 경향은 예술뿐만 아니라 모든 분야에 해당된다. 자신의 본업을 잘 아는 사람이라면 금방 이해할 수 있는 내용이지만 기준점이 없는 사람에겐 멍청한 소개와 리뷰만 의지할 뿐이다. 더 많은 경험과 지식이 필요한 순간이다. 취향과 유명한 이름에 가려진 투명한 가치들이 시대와 장소에 상관없이 존재한다는 것을 알게 된다. 이제 더 이상 경험하지 않은 시대를 이해하려고 하거나, 모르는 것을 아는 척하지 않아도 된다. 무엇보다도 근거 없는 이야기나 열등감 섞인 가벼운 것들이 가치를 훼손하는 실수를 범하는 것을 방지해야 한다.

10/4 :

　가끔 자신이 특별한 재능이나 능력을 가졌다고 착각하는 사람을 만난다. 경험상 이런 생각을 가진 사람은 자신이 원하는 대로 인정받고 원하는 대우를 받기를 희망한다. 때로는 눈치 보지 말란 말을 잘못 이해하여 자신만의 생각과 판단으로 행동하기도 한다. 자신에게 유리한 말만 듣고 이해하기도 하지만, 자신감이 떨어지는 순간에도 희망을 품는 모습은 대단하다고 생각한다. 이런 문제도 결국 자신의 능력은 겸손과 자존감의 문제와는 별개로, 현재 상황과 주변 사람들과의 상호작용에 따라 달라지기도 한다.

　우리는 이 문제를 잘 참아내고 이해하려는 시대에 살고 있다.

10/5 :

　시대가 변하면서 작게 여겨지던 사소한 문제들이 발목을 붙잡을 때가 있다. 예전에는 입으로만 돌아오던 말들이 이제는 보이는 것들이 모두 기록되고 전달되는 시대가 되었기 때문이다. 주변 사람에게 보이는 말이나 기록된 것에 더 신경을 쓰라고 조언한다. 나의 노력과 가치가 인정받고 훼손되지 않으려면, 사소한 일에도 신경을 써야 한다는 것이다.

　우리는 괜찮다고 생각하는 사람의 본모습을 보기 전까지 겸손하고 친절해야 한다. 그렇다고 억지로 미소 짓고 뒤에서는 다른 모습을 보인다는 유치한 계획은 세우지 않았으면 한다. 화낼 땐 화내고 아니라고 생각하는 일에 다시 한번 생각하면 되는 것이다. 현실은 각본 없이 벌어지고 퍼져가는 이야기이기 때문에 자연스럽게 우리의 모습과 가치가 전달될 것이다.

10/6 :

사진을 찍거나 글을 쓰면서 음악을 듣는 것을 좋아한다. 한 곡에 매료되면 음악과 가사가 마음에 새겨진다. 회상들이 악보를 따라 움직이면서 감정을 담아두고, 눈에 보이지 않는 환경들을 사진으로 표현된다. 하나의 완성된 글과 사진, 음악으로 나를 설명해 두었지만, 사람들은 각자의 모습만 보고 자신의 상황에 맞춰서 이해한다. 하늘이 바다에 투영되는 계절, 어두워진 밤하늘에 내면을 투영하는 것도 힘들었고, 행복한 기억 사이에 아무것도 아닌 일들을 내포한 것은 나에게만 일어난 것이 아니었을 텐데 말이다.

글을 쓰면서도 울음을 참고 비에 젖은 소나무를 바라보면서 다른 음악을 선택한다. 그럴 때마다 너는 참 이쁘게 자라고 있다는 생각이 들어 미소를 짓는다. 내 글도 아름다웠으면 좋겠다는 마음으로.

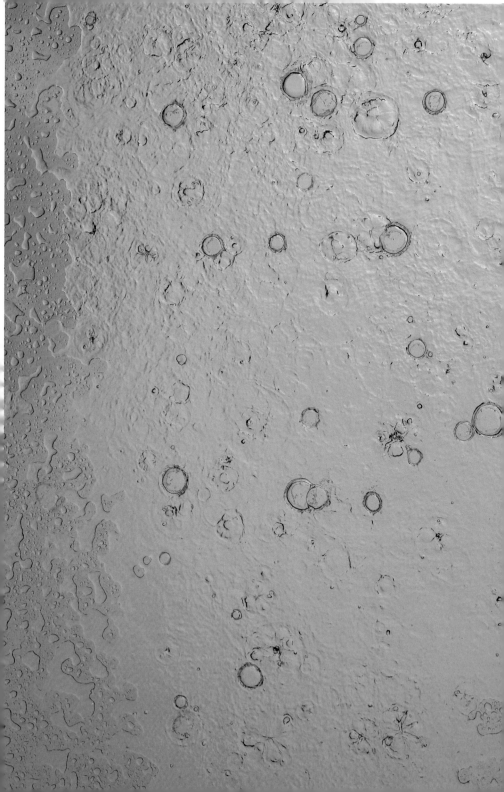

10/7 :

내 글을 악보로 표현한 노래는 외로움과 슬픈 가사를 담으면서도 밝은 음을 가진 노래로 표현될 것이다. 이 노래는 피아노를 중심으로 한 잔잔하고 아름다운 멜로디를 가지고 있을 것이다.

점점 포기하는 게 빨라졌고 천천히 가고 싶었지만, 남의 시선을 의식하는 바람에 조급해진다. 세상은 내가 보는 세계 안에서 끝나버렸지만, 누군가는 내가 찾아볼 수 없는 것까지 원한다. 나는 죽고 싶었는데, 그 이유를 모르는 채로도 가끔은 살고 싶었고, 아름다운 것들을 발견하게 되며 그 이유를 충당해 간다. 더 궁금해진다. 울렁거리는 내 속이 점점 잔잔해진다. 먼 곳에서 내가 쓴 가사로 만든 음악의 소리가 선물처럼 찾아온다.

10/8 :

어떤 이는 바라는 것이 많아서 이것저것 원하는 대상에게 요청하곤 한다. 외모, 취미, 능력, 재능, 지식, 성격, 성숙함 등 모든 면에서 부족함을 느껴서 그런지 부족한 점이 많을수록 타인에게 원하는 점이 많다. 때때로 그러한 상대방을 만나 대화를 통해 원하는 것이나 바라는 것에 대해 물어보곤 한다. 그러면 상대방은 자신에게 없거나 부족한 점들을 재미있게 떠드는데, 이것이 나를 기쁘게 만들었다. 자신의 현실을 직시하지 못하고 높은 기준을 갖는 사람을 보며 나 스스로 반성할 시간을 갖기 때문이다.

때로는 우리 자신이 다른 사람을 평가할 때와 같은 입장이 되어보는 것도 좋지 않을까.

10/9 :

내가 다시 태어난다면 '바람'이 되고 싶다. 바람은 늘 뻔한 안부를 묻지만, 당신들 눈에 보이지 않는 존재로서 사랑한다고 크게 소리쳐도 부담스럽지 않다. 그것만으로도 감탄사가 나올 만큼 희귀한 존재일 것이다. 당신이 입 밖으로 꺼내지 못할 말을 기꺼이 들어줄 수 있는 편안한 존재이기도 하며, 책임을 짊어지지만 노력하지 않아도 되는 존재다. 바람이 되어 이리저리 돌아다니고 다시 만나서 반갑다며, 당신의 옷깃에 스쳐 지나갈 예정이다.

죽음을 너무 안타깝게 바라보지 않았으면 좋겠다. 아름다운 순간, 내가 당신에게 기억될 그 순간에 멈춰 서서 오래오래 기억되기를 희망하니까. 인생이란 투병을 이겨내서 얻은 또 다른 보금자리다. 돌고 돌아서 찾게 된 안주할 수 있는 자리이자, 새로운 여행이 시작되는 건 아닐까. 허무함을 지탱해 온 수많은 세월이 나를 행복하게 만들어줬음에도 희망이라는 것에 꺾인 의지는 더 이상 보이지 않아도 될 만큼 자유로울 것이다. 내가 없어진다고 하더라도 슬퍼해주거나 찾는 사람이 있을까. 나는 매번 그들의 죽음을 마음속에 간직하고 그리워했는데. 오늘따라 바람이 많이 분다.

떠난 누군가가 나를 그리워했나 보다.

10/10 :

생각이 많다고 깊은 생각을 한다는 것이 아니다. 때로는 "한다" 혹은 "안 한다"라는 선택을 하기 전에 자신의 할 일을 노력하지 않고서도 불행해하는 사람들이 있다. 제아무리 생각이 많고 깊다 할지라도 그들의 생각은 주변을 설득하기 위한 변명에 불과할 것이다. 내가 생각하는 깊은 생각은 변화라고 생각한다. 노력한다고 말하지만 단점을 극복하는 것에만 노력을 기울이고, 더 나은 방법을 발전시키는 데는 관심이 없는 경우가 많기 때문이다.

예를 들면 맛있는 볶음밥을 만들기 위해 소금을 넣는 것만으로 노력이라고 착각하는 경우를 종종 목격한다. 생각이 많더라도 실제 행동과 결과로 이어지지 않으면, 생각만 하는 방관자가 될 수도 있다. 몸이 멈춰 있는 사람은 자신이 멈춰있던 시간에만 사람들을 생각하기에.

10/11 :

생각 없고 모자란 사람이라고 얘기하니까 화낸
다.

"인스타에 올리는 사진과 글은 부끄러움 한 점 없
이 당당하면서 말이다."

10/12 :

그대 보내고 난 길고양이가 됐다. '야옹' 거리는 서글픈 울음에 아무도 대답하지 않는다. 애써 달래 보는 중이지만 차가운 공기에 짓눌린 마음에 뜨거운 물을 붓는 것만 같아서 아프다.

부어버린 눈으로 돌아다니는 나는 귀여운 길고양이가 아닌 성인인데 누가 나를 위로할까. 불어오는 바람은 어떤 이가 준 날카로운 캔에 담긴 음식 같이 느껴진다. 날카로움에 베인 혀라도 그대가 부르는 소리에 금방이라도 눈물을 그칠 텐데 말이다.

카구라자카 역으로 가는 길이 참 멀다.

10/13 :

열등감이 많아 타인의 것을 부러워하고 비교하
며, 폄하하는 이가 불쌍하다. 그가 얼마나 불쌍한지, 본
인의 상상을 현재 진행형인 식으로 말한다.

자신을 미워하는 만큼 아무것도 하지 않는다. 생
각은 거대하지만 증명되지 못하는 그의 이야기는 참
흥미롭다.

10/14 :

자신이 한 말을 잊어버렸는지, 아니면 본인이 말한 것처럼 원래 그런 사람이었는지 헷갈리게 만드는 사람이 있다. 본인에게 관대한 사람은 성인이 되어도 타인의 행동을 이해하지 못한다. 그들은 책이나 인터넷에서 누군가 했던 말을 자신의 생각인 것처럼 여긴다.

당연하게도 특별한 사연이나 경험을 가진 것은 아니며, 늘 핸드폰만 바라보기에 인터넷에 떠도는 글과 영상은 많이 보지만 실제로는 경험하지 않았을 확률이 높다. 할 수 있는 거라곤 타인의 말을 빌려서 그럴듯하게 전달하는 정도이다. 그래서 자기 말이 맞는다고 하는 사람들에게 어떤 기대도 하지 않는다. 어차피 시간이 지나면 본인도 잊어버릴 테니까.

10/15 :

　살면서 내린 결론은, 당연하다고 생각했던 옳고 그름의 기준을 정하는 것은 내가 아닌 고집만 부리는 생각 없는 사람들의 일이라는 것이다. 성인이 되면서 책임을 회피하는 법을 배우고 도덕과 교양을 버리는 것을 허용하여, 행복과 자유를 추구하는 SNS를 교과서로 삼는 경향이 생겼다.

　이러한 삶이 옳지 않다고 말할 때, 아직도 학생에서 머물 것이냐, 아니면 성인에서 어른이 될 것이냐는 뒤늦은 질문을 던진다. 냉정한 행동이 중요해진 시점에서 옳다와 그름의 기준을 알지도 못하는 보여주기 행복에 변질된 시대에 도태되기 전에 말이다.

10/16 :

　"네 잘못이 아니다.", "너는 열심히 하고 있다.", "너는 행복해야 한다." 이런 말은 지금 이 시간에도 좋은 것만 보여주려고 사진을 찍어대는 인스타그램 속 과학자나 크리에이터, 예술가가 아니라 바쁘게 살아가는 사람들에게만 허용되는 말이다. 그렇지 않은 대부분이 이 말에 현혹되어 자신의 무능력보다 상대방이나 상황만 탓하는 실수를 범하며, 따라 하려고 한다.

　내가 위로 글을 쓰지 않는 이유는 간단하다. 당신이 행복하지 않은 이유는 주어진 것들로 극복하지 이전에, 조금만 힘들어도 행복을 찾고 위로를 받겠다는 게 더 커서 그럴 것이다. 힘든 게 무뎌지듯 행복과 위로 또한 무뎌지는 것은 정말 당연한 결과가 아닌가?

10/17 :

　사람을 만날 때 주의해야 할 점이 있다. 사연이 많거나, 상처가 많거나, 자신을 가장 소중하게 여기는 사람이다. 내 경험상 그들은 무능력과 무력함, 귀찮음과 변명으로 잘못을 포장하는 경향이 있기 때문이다. 자기중심적인 사고를 피해의식으로 덮어서 타인에게 상처를 입힌 것에 대해 항상 이해하고 그럴 수도 있는 상황이라고 말한다.

　사소한 일에도 책임감이 없고 그럴듯한 해결 방안도 없이 살아가며, 목적에 의존하여 친근하게 대하고 유명하다는 것에 등을 굽히는 일이 많다. 당신에게는 유독 잔인한 사람이 될 수 있는데 생각나는 사람이 있지 않나?

10/18 :

사람 관계는 한쪽이 희생해야 가능한 것 아닐까. 상대방의 표정을 보며 좋음과 싫음을 말하지 못하고, 분위기에 맞춰 알면서도 이해할 줄 아는 사람. 이상하게도 화를 내거나, 참거나 둘 중에 하나만 해야 한다는 분명한 점이 있다. 이 글을 읽고 나를 위해 희생한 사람을 떠올리기보다는 내가 희생을 많이 했다고 생각한다면, 화를 많이 표출했던 사람이었을 가능성이 높다.

10/19 :

"당신이 이야기할 때마다 시체 냄새가 느껴지더군요. 자신의 말이 항상 옳다고 주장하며 다른 이들을 비난하는 모습을 보면서, 당신의 이빨은 뼈가 아닌 비석으로 이루어져 있는 걸 알았습니다. 당신 혀에 껴있는 백태는 그동안 말로 죽인 사람들의 시체로 이루어져 있었네요. 마지막으로 당신이 자주 사용한 단어는 '존중'이었는데, 정작 당신은 그렇지 못하다는 것이 의아했습니다."

10/20 :

당신이 친하다고 생각하는 무리 속에서 유독 예민해지거나, 감정이 상하는 이유는 단 하나다.

그 무리 속에 당신이 없기 때문이다.

10/21 :

나보다 나이 많은 주변 어른이 조언하면 '꼰대'
유명한 사람이 아무렇게 이야기하면 '명언'

줏대 없는 그들은 늘 좋은 어른이나, 사람을 놓친
다.

10/22 :

　　당신이 세상에서 제일 힘들다는 웃기는 소리를
한다. 당신이 열심히 살고 있다는 건 아무도 믿지 않는
다. 그런 말을 믿는 건 오직 일회용 술친구와 인터넷 친
구 따위만 당신의 곁에 있을 뿐이다. 자신의 삶으로 살
아본 적도 없으면서 함부로 얘기하지 말라고 한다.

　　나는 당신처럼 생각하고 사는 게 소원인데 말이
다.

10/23 :

　가위에 자주 눌리는 편이었다. 우울증에서 벗어나려고 시작했던 자각몽이 원인인 듯하다. 귀신을 보는 것은 무서운 일이다. 귀신의 얼굴은 반듯하게 잘린 평면이었고 눈, 코, 입이 존재하지 않았다. 그럼에도 누군지 알 것만 같은 그들은 나의 팔과 다리를 잡아당기며 노래를 부른다. 가끔은 보이지 않는 얼굴을 들이대기도 했다. 그들이 물러날 때까지 견디다 보면, 하얀빛으로 된 배경에 빨려 들어간다.

　하얀 바탕에 나의 상상을 불어넣는다. 아름다운 풍경과 건물을 헤집고 가다 보면, 그리운 사람들이 서 있었다. 안녕의 인사를 끝낸 후 나는 5평 남짓한 방에서 바다와 호수를 바라본다. 하루 중에서 가장 행복한 순간이다. 아무도 없는 그곳은 천국이다. 나는 현실에서도 '공허함'을 즐기는데 꿈속에서도 똑같은 걸 반복한다.

10/24 :

조금만 더 힘들면 좋은 일이 오겠지, 힘들어도 언젠가 보람찬 결과가 있을 거라 생각했다. 이런 생각으로 쥐꼬리만 한 아르바이트비를 받으며 불만을 표출하며 버텼다. 하지만 그런 생각이 나를 더 불행하고 힘든 사람으로 만들었다는 걸 깨닫는다. 시간이 흘러 더 좋은 환경과 페이를 받음에도 여전히 불만을 표출한다. 여전히 지루한 소비를 행복이라 착각하고 다닌다.

나 역시도 버는 족족 소비하고 그놈의 지겨운 행복을 찾아다니는 '욜로'나, '워라밸'과 다를 바 없이 놀고 싶은 사람이었다.

10/25 :

　‘사람’에 대한 귀천이 없다고 말하는 이들이 ‘직업’에 대한 귀천을 따진다. 누군가의 희생 덕분에 귀족과 천민의 기준이 사라졌지만 이상하게도 그들은 보란 듯한 우월을 과시하기 위해서 새로운 잣대나 형태를 만들어낸다. 이상한 건 그들은 "나는 전생에 천민이었습니다."라는 듯한 행동도 부끄럼 없이 자랑한다.

10/26 :

마음씨가 이쁘고 긍정적인 사람이 되려면, 때로는 부정적인 마음을 갖고 일어날 수 없는 일까지 생각해 보는 것도 중요하다. 상대방의 감정과 상황을 이해하고 넘겨봄으로써 더 나은 대화와 이해가 가능하기 때문이다. 현대 사회는 드라마 같은 일들로 가득 차 있기도 하지만, 핸드폰이나 인터넷에서 일어나는 일들이 자신의 경험이자, 타인의 생각도 곧 자신의 생각이 될 수 있으니 말이다. 때때로 들은 말들을 외워 말하는 상황이 생기기도 하는데, 그럴 때마다 남의 것을 외우는 머리는 있구나 하며 다행이라 여겼다.

10/27 :

이상하다. 자신의 존재와 재능이 특별하다고 하는데 왜 다른 이의 성공과 재능을 따라 하려고만 할까. 더 쉬운 방법은 좋아하고 즐기면서 원초적인 것과 깊이 있게 해야 하는 것은 멀리한다.

지적 수준과 상관없는 노출과 홍보의 시대다.

유명해지면 똥을 싸도 박수를 쳐준다고 했는데 똥을 싸는 과정을 보여주고 유명세와 박수를 받으려고 한다.

10/28 :

    본인의 자아를 이해하고 받아들인다면, 다른 사람의 본질을 이해하는데 한결 쉬워진다. 본인을 이해하고 인정하는 과정을 통해 타인에게도 존중과 이해를 보다 쉽게 나타낼 수 있으며, 무결점을 추구하는 태도는 시야를 넓히기도 한다.

    나를 인정하는 것만큼 크게 다가오는 공부는 없다. 자신을 이해하고 인정하는 것은 지속적인 발전과 성취를 위한 출발점이 된다. 더 나아가서, 자기 인식을 향상하고 자신의 강점과 약점을 파악하며 더 나은 방향으로 나아갈 수 있는 기회를 찾는다면 운 이란 게 찾아온다.

    운 이란 게 그저 얻어지는 게 아니다.

10/29 :

　　나는 카페를 소개하는 칼럼을 쓰는 사람이다. 국어국문학과를 나오지도 않았고 글을 잘 쓰는 사람들과 다르게 제대로 글을 배운 사람도 아니다. 그럼에도 글을 쓰고 책을 출간하게 된 결정적인 계기는 인스타그램에서 본 베스트셀러와 아무렇게 써도 문제 되지 않는 누군가의 독립 출간 책 덕분이다.

10/30 :

　내가 아는 직업과 다른 게 많다. 요즘은 회원가입 만 해도 크리에이터가 되는 시대 아닌가.

10/31 :

집이 안정감을 주는 공간이 아닌가 보다.

불안한 걸까 아니면 해방을 원하는 것인가. 사람들은 저마다 이유를 만들어서 밖에 나온다. 공원보다 음식점이나 카페에 사람이 많다. 길을 막고 춤을 추는 사람, 풍경을 바라보는 사람보다 사진 찍는 것에 집중하는 사람. 눈을 마주하고 대화하는 사람보다 핸드폰을 바라보는 사람이 많다. 관찰하다 보면 집에서 할 수 있는 일을 밖에서 하는 이들이 많다. 어떤 차이점인지 모르겠지만 각자 사정이 있는 듯하다. 세상은 발전했는데 크고 작은 일에 지쳤을 때에도 온전히 위로해 주는 건 좋아요 와 관심밖에 없나 보다.

시작의 11월

    화려하게 쓴 장문의 글과 이해하기 힘든 추상적인 그림보다 종이에 서서히 퍼지는 잉크 하나가 얼마나 아름다운지. 단풍잎 사이에 퍼지는 햇빛 같았다.

    11월의 햇빛은 퍼지는 잉크와 같았고 선선한 바람과 따스함이 머무는 온도는 마음과도 같았다.
    겨울이 오기 전에 당신과 품앗이를 해 보고 싶었다.

    사소했던 것들에 마음이 무르익는 이 좋은 날에.

    - 온화한 여름 고양이

11/1 :

회사 다닐 때 건들지 말아야 할 사람이 있다. 떠넘겨진 일들에도 불평불만 없이 말을 잘 듣는 사람이다. 날개 없는 천사같이 행동한다면 오늘이나, 내일쯤에 그 사람의 얼굴을 볼 수 없을지도 모른다. 몇 개월 전부터 돈을 모으며, 서랍에 사직서를 준비한 사람이니까.

내가 그랬다.

11/2 :

어머니가 시킨 심부름에 불만을 표출했다. 쉬는 날에는 좀 내버려 두라고 말이다. 그러고는 옷장을 열어 여기 있던 옷을 어디에 뒀냐고 화를 내기도 했다.

생각지도 못했다.

밤늦게 들어와 정리된 옷장 앞에 주저앉아 소리 없는 울음을 터뜨렸다.

11/3 :

술에 의존하지 않아도 진실한 이야기를 할 줄 아는 사람을 만나는 걸 좋아한다. 서로의 생각을 날 것 자체로 공감할 수 있어서 더욱 가치 있었다는 뜻이다. 하지만 이는 희망 사항에 불과했다.

대부분은 알코올 뒤에 숨어 영웅담을 하거나, 숨어있던 부정을 표출했기 때문이다. 술을 싫어하는 건 아니다. 자제력을 잃은 대화가 의미가 없기 때문에 싫은 것이다.

11/4 :

　"오늘 죽어도 상관없겠지?"라는 생각으로 살아가면서 비관적인 마음을 덜어내고자 했다. 일을 할 때마다 "이게 실패하면 죽으면 된다."라는 다짐으로 스트레스를 해소하려고 했는데, 이러한 생각을 반복하다 보니 언젠가 '죽음'이라는 개념이 일상적으로 느껴졌다. 내 책상 서랍에 칼을 준비하고, 고통 없는 죽음을 위해 약을 찾아보곤 했다. 실제로 죽음이 다가온다면 그 누구보다 공포에 떨겠지만 말이다.

　이런 생각이 든 것은 나에게 자극이 부족했기 때문이다. 무엇보다 죽음이라는 자극제는 좋은 경험과 결과를 만들어냈다고 생각한다. 극단적인 생각이 점차 "죽기 전에 이것만 해보자"로 번해, 어쩔 수 없이 해야 하는 일들에 대해 기대하지 않고 편안한 마음으로 접근할 수 있게 됐다. 포기할 때가 시작이라는 생각으로, 노력뿐만 아니라 실제 행동으로도 나아가야 하는 이유를 만들곤 했다. 쉬운 예를 들자면, 신용카드 빚을 갚기 위해 일하는 당신처럼 말이다.

11/5 :

지금처럼 타인의 배려를 당연하게 받아들여라. 무언가를 요구하고 곁에서 떠나는 사람을 원망해라. 내면의 문제에 대해 인식하지 못하고, 남의 배려를 당연하게 받아들이며 살기를 바란다. 삶의 끝에서 공허함과 외로움의 원인이 무엇인지도 모른 채 눈을 감기를 바란다.

아무 잘못이 없는 당신에게 세상이 지옥과 같이 느껴지기를 바란다. 그 모습을 지켜보며 나는 위로받을 테니까 말이다. 이 글을 읽고 공감만 하는 당신의 이야기라는 것도 모른 채.

11/6 :

세상에서 가장 행복한 삶을 누리고 보여줘야 하는 건 본인이길 바라면서, 왜 타인에게 말을 할 때에는 그 누구보다 힘든 삶을 살았던 사람이었던 것을 강조하는지 모르겠다.

나는 당신의 생각을 도무지 이해할 수가 없었다. 하나만 정했으면 좋겠다.

11/7 :

어디서부터 시작해서 무엇으로 끝내야 할까.

깊은 고민은 잠시 지나가는 바람인데 바람이 춥다고 무더운 여름을 잊어버린다. 어느 계절에 걷는 법을 배우고 어디서 멈춰야 좋을까 고민한다. 나의 고민은 자기 전에 시작되는데 가끔은 아침이 행복해서 깨어난 순간이 꿈만 같다.

11/8 :

사람이 없는 시간과 공간이 좋다. 집을 좋아하는 줄 알았는데 사람이 싫었던 것이다. 공허하고 외롭지만 이 자체가 나를 행복하게 만든다. 시끄럽고 방해가 되느니, 차라리 아무것도 없는 게 낫다는 생각을 한다.

오늘따라 가을 하늘이 깨끗하다. 바람이 멈추고 형형색색의 잎이 떨어지고 나서야 하늘이 한눈에 다 보인다. 나뭇가지마저 없더라면 더 좋았을 것을.

11/9 :

일본 여행을 하면서 좋았던 게 친절함과 예의라고 말했더니, 앞에서만 그렇고 뒤에선 욕한다고 말한다. 그런 당신은 왜 앞에서도 그 모양이고 한국인이라고 하여 다른 게 있던가? 하물며 당신은 노재팬을 외치다가 입 싹 닫고 일본 여행을 다녀오지 않았던가?

가치가 낮은 이는 줏대 없이 흔들리고 방관하고 조용히 있다가 불쑥 나타나 이게 좋니, 나쁘니 하는 당신 같은 사람이다.

11/10 :

죽은 자의 빈자리로 사랑을 깨닫는다.

사랑의 감정을 그렇게 배워나갔다.

11/11 :

호들갑 떠는 모습이 짜증 나서 그들이 좋아하는
것들을 하나씩 증오하기 시작했다.

그들이 좋아하는 것은 늘 똑같다. 이미 어떤 이들
에게 끝난 유행이나, 지식과 경험을 이제야 알게 된 것
아닌가.

11/12 :

어린아이처럼 어떤 것 때문에 아프다고 쓰면 되는데 아픈데 무엇 때문인지 말하지 못한다.

나이가 들수록 전달력이 점점 떨어진다. 나이가 들면서 솔직해지지 못한 감정이 버릇이 되어 그렇게 전달되는 듯하다.

거짓된 사회생활이 버릇되어, 아이도 아는 것을 모르는 어리석은 성인이 됐다.

11/13 :

타인의 밑바닥을 발견하고는 자신이 더 낫지 않냐는 듯 합리화한다. 마음이 약한 INFJ라 그런지 이런 종류의 개소리를 들을 때에도 당신은 비교도 안 될 정도로 착하고 괜찮은 사람이라고 말해준다.

당신이 비교한 타인의 큰 것과 당신의 평소 행실에는 별 차이 없다는 것을 마음속으로만 말한다. 사실 내 알 바 아니라서 그러려니 넘긴다.

11/14 :

　　책임감이라 말하고 자신의 말이 맞는다는 듯이 행동한다. 잘못과 별개로 자기 회사도 아니면서 자신의 패턴과 방향성을 강조하는 화가 난 사람이 있다.

　　회사라는 곳은 그런 위험한 류의 동물과 같이 일을 하는 공간이다. 고집도 자존심도 센데 본인이 보고 배운 건 많다고 생각하는 폭탄들이 도사린다.

11/15 :

당신의 '취향'은 경험도 부족하고 아는 것도 없는 부끄러운 자신을 변호하기 위한 단어 아닌가.

11/16 :

"내가 누군지 알지?" 큰소리칠 땐 언제고 알아주려고 하니까 숨어버린다. 그 부모의 그 자식은 자신의 부모가 무슨 일을 하는지 몰라서 남한테 물어본다.

수면 위로 올라오는 어리석은 오렌지 족과 MZ의 환상적인 조합에 익숙해져야 하는 시대다.

11/ 17 :

모난 행동이 버릇이 되어 밖에서도 자연스레 나온다. 집에서 하지 않던 걸 밖으로 나와서 요란스럽게 주접 떠 듯이 한다. 화려하게 치장하고 누구를 만나고 해외여행을 간다고 그 버릇이 바뀌고 보여주기 식의 어색한 행동이 자연스럽게 보일 거라 생각했나 보다.

어리석은 면이 많다. 포크와 나이프만 들면 뭐라도 되는 줄 아는 이들을 많이 본다.

11/18 :

    나는 항상 양복을 입고 다녔다. 그것이 불편한 걸 알면서도. 사랑에 대해서 잘 알지 못한다. 매번 계획을 세우고 그 계획대로 움직이려 하며, 나만의 목표를 타인에게도 동일하게 적용했다. 나의 연애 이야기를 듣는 사람들은 이게 진짜 연애인지 의심스러울 정도로 고래를 갸우뚱한다. 그래서 나는 언제나 양복을 입은 사람으로 비유했다. 내 업무를 수행할 때나 낯선 사람을 만날 때만 양복을 입으면 충분한데, 편안한 날에도 양복을 입으려고 했다. 타인을 배려하는 것도 아니었고, 연애를 단순히 다른 하나의 업무로 생각했던 것을 깨닫게 된 순간이다.

    과거를 돌이켜보면, 친구를 사귀는 것보다는 그 무리 속에 포함되기 위해 다소 자신을 억지로 변화시키며 행동했던 것 같다. 이러한 태도로 인해 자연스럽게 인간관계와 정서를 나누게 되는 것이 아니라, 어떤 가치를 제공할 수 있는지에 대한 고민이 더 많아진 것 같다. 이로 인해 나는 자연스레 살아남기 위한 목적을 갖게 됐다. 외로움의 부재는 나에게 슬픔을 안겨주었고, 스스로의 문제인 것처럼 느껴졌다. 나 자신에게 조차 거짓말을 하면서 무엇이든 괜찮다고 생각했다. 타인에게는 거짓말을 하며, 마음이라도 정직한 것처럼 보이도록 노력했지만 사실 그건 사랑의 정체성이 아니었던 것이다.

　나는 누군가에게서 사랑받은 경험이 있는지 고민해 본다. 혹시 사랑을 주는 법을 모르는 건 아닌지 생각해 본다. 실제로 타인을 사랑하는 법도 모르는 것 같다. 이러한 경험 없이 나 스스로를 믿기 어려워졌다. 나는 나도 모르는 좋은 모습과 일을 제공하기 위해 양복을 입는다.

11/19 :

　감정 표현을 숨길 수 있는 검은색과 밝은 모습만 보여주고 싶은 하얀색은 무르익어가는 대화 속에서 회색으로 변한다. 평소에 하지 않던 행동을 하고 익숙한 언어를 섞어 달콤하게 볶아낸다. 그들과 나의 시간을 투명한 물에 끓여내고 커피 가루를 천천히 녹여낸다.

　카페는 참 재미있는 곳이기도 하다. 검은색 옷을 입고 온 사람은 하얀색 말을 하고 하얀 옷을 입고 온 나는 검은색의 말을 하며, 대화에 참여하고 싶은 사람들은 회색이 되기를 바란다. 그 모든 무채색이 원하는 표현과 위로를 하나씩 삼키고 빈 잔으로 돌려줄 때가 돼서야 떠날 시간이 왔다는 걸 알게 된다.

　참 재밌는 공간과 사람이 존재한다. 마냥 사진을 찍으러 가는 곳이 아니라, 쉰다는 의미로 봤을 때 말이다.

11/20 :

　"상처" 입는 것으로 모든 것을 경험했다고 착각한다. 그러나 타인에게 상처를 준 행동은 기억하지 않는다. '끼리끼리 만난다.'는 말이 과학이라고 생각하며, 상처와 사연이 많은 사람들은 부족함과 변화보다는 공감에 초점을 두곤 한다. 때로는 일상적인 사연을 특별하게 여기기도 하지만, 더 이해하기 어려운 것은 피해자는 많아도 가해자가 없다는 것이다.

　자기 성찰 속에 진실은 사라지며, 남탓하는 문화가 점점 자리 잡고 있다. 본인의 상처가 타인을 평가하는 기준점이 되는 어리석은 믿음과 잣대가 생긴다. 문제는 믿는 사람의 잘못이 아니라, 믿음을 이용하려는 사람의 부적절한 삶인데 말이다. 세상이 잘못된 게 아닐 수도 있다. 평생 가해자가 아닌 그들의 양심이 잘못된 것이다.

11/21 :

　　당신의 투정과 입맛에 따라 시대가 변해가고 있다. 현명한 사람들은 꼰대로 비난받기를 원치 않아 침묵을 택하며, 과거의 책임감 있는 어른들은 당신을 이해하지 못하게 됐다. 유익한 사람들이 떠나갔음에도 세상은 여전히 어려우며 인간관계가 복잡하다는 사실이 유효하지 않나.

　　당신이 불친절이니, 이기적이라는 평가를 할 때마다 헛웃음이 터진다. 당신이 선호하는 시대로 변할 때 혼자 편할 줄 알았나. 세상에서 가장 어려운 역할 중 하나를 하는 당신, 편안함과 행복을 찾으려는 젊은 세대의 일원으로서, 비트에 맞춰 춤을 추고 게시물을 공유하는 것을 지지한다.

　　자, 어서 너와 비슷한 이들과 재밌는 것을 공유하고 춤추며, 아는 척 소개하고 추천해야지.

11/22 :

    '감성'이 풍부해서 눈물이 많은 게 아니라 '경험'이 많아서 공감해 주는 것이다. 하지만 사람들은 그런 나를 보고 '오글거리는 감성충'이라고 말한다. 정작 누군가에 진심을 말하고 건넨 적 없는 어린 생각에 놀림감이 되어가고 있다. 세상은 점점 개인주의 사회로 변해가고 있다.

    개인에겐 최선을 다해주길 바란다. 보여주기 식의 이미지에 힘을 들이고 타인의 순수한 마음을 부끄러워한다. 애초에 진심을 표현한 사람들은 '밈'이라는 것에 전부 처형되지 않았나.

11/23 :

　　그날은 사계절 중 가장 좋은 날이었지만, 내 마음에는 그 빛나는 날씨조차도 어두운 그림자로 뒤덮인 날이었다. 맑은 햇살과 적당한 구름이 어울려 포근하면서도 시원한 온도를 느낄 수 있던 날이었지만, 그 온화한 날씨도 나의 내면의 추위를 흔들어놓지 못했다. 열 오른 살에 차가운 이불을 덮는 느낌이라고 해야 할까. 아름다운 날이 싫었지만 내색하지 않았다. 왜냐하면 그날은 내게는 소중한 사람이 떠난 날이었고, 다른 이에게는 행복한 날이었기 때문이다. 벚꽃이 만개하여 바람에 흩날리는 날, 그는 조용히 눈을 감았다. 달콤한 낙엽이 공원에 덮이는 날, 그녀의 마지막 숨결은 바람에 실려갔다. 추운 겨울이 끝나 눈이 녹을 때, 그들은 땅의 양분이 되었다..

　　아무것도 모르는 사람이었다면 어땠을까. 계절에 취한 이들의 미소가 떠나지 않던 날, 그저 아무것도 모르는 채로 그 순간을 함께할 수 있었다면 얼마나 좋았을까. 그립다. 그 좋은 날과 사람이.

11/24 :

더위와 추위를 좋아하는 사람이 어디 있을까? 흘러나오는 노래 속에서 헤엄칠 수 있을 것만 같은 파란 하늘, 석양 속에 성숙해지는 마음이 표현되는 기다림의 시간, 신발 속에 숨겨둔 지친 하루가 티 나지 않는 기나긴 밤, 그리고 일어나지 않는 설렘을 고대하게 만드는 핑크빛 유채화. 모두가 그것을 좋아하는 것 아닐까?

계절과 온도는 하루가 다르게 변해가는데, 변하지 않는 사람이 더위와 추위처럼 느껴질 뿐이다. 나는 사람에게 기대하지 않았고, 나에게 기대하는 것을 바라지 않았다. 그렇기에 내 계절은 아무렇지 않게 흘러갔다. 가끔 더위와 추위에 쓰러지고 싶은 일도 생기곤 했다. 마음의 계절, 말의 온도, 표현, 그리고 피어나는 배려가 수많은 계절과 온도 속에 보이지 않기도 했지만, 겨울을 덥게 여름을 춥게 만드는 것과도 같은 기대를 했기에 생긴 일이다.

11/25 :

　밝고 긍정적으로 즐겁다는 게 마냥 좋은 것은 아니다. 생각 없는 이들의 생활 패턴은 즐거움이 가득하고 하루아침에 우울증이 찾아오니 말이니까.

　생각해 보면 이 나라에 진짜 우울증 환자는 어디에 있을까. SNS를 통해 행복을 찾아서 떠나는 우울증 호소인이 대부분인데 말이다.

11/26 :

　새벽에 산책을 하다 보면 세상이 '흑백'처럼 보인다. 이를테면 하얀색과 검은색을 연결한 밤하늘의 별. 다리까지 차오른 새벽바람에 휘날리는 나뭇잎 소리와 차가워 보이는 밤하늘. 이내 연주가 노래로 바뀌고 하얀색 실이 올라간다. '일희일비'가 이런 의미일까 싶다.

　달의 비웃음이 사라질 때 검은 실이 올라간다. 새벽이슬에 젖어버린 신발과 마지막까지 방아 찧는 토끼의 노동이 통곡으로 바뀌고 검은색 실이 달을 덮는다. '상명지통'이란 어떤 것일까. 밝게 살고 싶어도 마음속에선 고통 없이 편히 죽을 수만 있다면, 이 새벽에 돌연 사라졌을지도 모른다. 옷깃에 닿은 모든 이들도 좋아할 법한 흑백의 세상에서 바람이 되지 않았을까.

11/27 :

오랜 세월이 걸리더라도 내가 원하는 자리와 환경을 만들지 못하는 것을 깨닫는다. 성인이 되어도 투명한 마음을 유지하길 바라지만 거울 속에는 무언가 빠진 내 모습만 비춘다. 어른이 되고 싶은 욕심으로 생긴 시간의 구멍은 자존심의 허점을 만들어낸다. 나이가 들면서 변명만 늘고 무책임한 욕심에 휩쓸린다. 순수함이 약해진 것이다.

단단해지는 것을 녹이는 것이 쉬울까, 녹은 것을 다시 단단하게 만드는 과정이 쉬운 일일까? 내가 '신념'이라는 생각을 가지는 것도 하나의 과정에서 무의미해질 수 있을 것이라 생각한다. 내가 원하는 모양대로 자신의 '정의'를 지킬 수 있는 시간이 더 많았다면, 세상은 불공평하지 않았을 텐데. 세월이 흐르며 작은 한숨에도 내가 어렵게 다듬은 줏대가 쉽게 날아가는 것을 깨닫는다.

11/28 :

　"다녀왔습니다." 한 마디에 확신을 주려고 노력한다. 오늘 하루에도 힘든 일이 없었다는 표정을 짓기 위해서 집 앞에 서있던 적이 많았다. 오늘의 속상함을 어디에 풀어야 좋을지 모르겠는데, 찰나에 발견한 별 하나에 오늘의 분노와 속상함이 보인다. 그럴 때마다 눈에 들어온 저 많은 별들 중 하나는 자연스러운 만남인지 아니면 하늘이 소개해준 낯선 소개였는지 어설픈 질문을 한다.

　무더운 계절에 녹은 수증기들이 차가운 바람을 만나 고체가 되었는지, 오늘따라 우주에 떠 밀려온 별이란 모래들이 추운 바람을 타고 내 눈앞에 빛나는 모래사장이 되어 온 하늘을 가득 채우는 것만 같다. 그 속엔 따뜻함에 녹아든 부끄럼과 형식적인 것도 있었고 생각했던 것보다 나에게 관심 없었던 이들의 말 뿐인 걱정과 기도도 있었다. 노력하지 않는 변화 속에 필요했던 자책은 밤하늘의 파도와 모래로 하여금 다른 이들의 눈에 비친 내 모습과 같을까 싶기도 하다.

　변했다는 말을 듣고 싶었을까 아니면 나아졌다는 말을 듣고 싶었을까. 편을 만들고 싶었을까. 친구를 만들고 싶었을까 인정받기를 희망했나. 잘살기를 희망했나. 따뜻함을 전해주었던 어떤 순수한 이의 모습에 반해 그저 나는 괜찮은 사람이 되고 싶었을 뿐이었는데. 시간이 얼마나 지났을까. 이제야 들어간다.

"다녀왔습니다."

"오늘 일은 안 힘들었니?"

"네."

11/29 :

　　서로가 알면서도 모르는 척을 하는 관계가 우리 사이에 자리 잡았습니다. 다른 사람을 만나는 것보다도 훨씬 어려웠던 시간을 함께 보내며, 이 말을 꺼내기까지 오랜 세월이 걸렸습니다. 미래를 걱정하는 것보다 이 감정을 수긍하는 게 훨씬 더 어려웠던 게 사실이니까. 우리 이제 진정한 '남'으로 변해버린 것 같습니다.

　　길을 걷다가 당신을 발견합니다. 내가 없는 곳만을 응시하며 지나가는 당신을. 이제야 분명히 알게 됐습니다. 당신의 눈동자에는 내가 피해야 할 과거의 기억으로 기억되어 있다는 것을 알게 됩니다.

11/30 :

내게 위로한들 지나간 시간은 살아 돌아오지 않는다. 설명하지 못할 두려움이 괜찮다는 말로 나아지진 않았으니까. 29년 동안 함께 해온 내 영혼에게 이제야 안부 인사를 건넨다. 오늘까지의 내가 힘들어서 얼어붙은 땅에 괜찮냐고 물어본다. 경험하지 않은 길을 걸어올 때면 고민했던 깊이에 맡겼다. 이제 내 마음도 모르는 것을 네 마음이라고 생각하지도 않으려고 한다. 모든 결말은 서로 합리화하고 싶은 대로 끝났으니, 신경 쓰지 않으려고 한다.

감사를 전달하고 싶은 사람은 이미 오래전에 내 곁을 떠났다. 나와 당신에게 위로한들 지나간 관계는 다시 이어지기 힘들다. 몇 년 혹은 몇 달 동안 함께 해온 추억에 젖어든다. 이제야 그때 그는 괜찮았을까 걱정한다. 모든 것은 당신이 원하는 대로 바라는 대로 됐을 테니 더 이상 미안해하지 않으려고 한다.

\<글을 마치며\>

글이 재밌는 이유는 읽는 사람마다 해석하는 게 다르고 보고 싶은 부분만 있어서 그렇지 않을까 싶다. 하나 확실한 것은 어떤 글이든 부정적으로 보이고 반론을 제시하고 싶은 사람은 화가 많거나, 불만이 많은 사람일 확률이 클 거다.

안 좋게 생각하기 전에 머리글을 다시 한번 봤으면 좋겠다. **작가의 의미보다 당신이 의미 부여를 했으면 좋겠다고 쓰인 앞의 설명을.** 의미를 해석하자면 다음과 같다. 위로 글을 써주고 싶지만 알지도 못하는 당신을 함부로 위로할 수도 없는 노릇이며, 가령 위로 글을 쓴다 하더라도 가해자들이 더 공감하는 꼴을 못 보는 필자는 읽은 이에게 모난 돌이기 때문이다.

내가 느낀 상황을 설명하고 생각을 표현하기 위해 많은 이들의 사연과 대화에 귀를 기울였고 공감하기 위해 일부러 상황을 만들어 경험하려고 했던 적도 많다. 이 글을 끝내며, 내가 느꼈던 것들에 소신을 가지고 말했다는 것에 개운할 뿐이다. 마지막으로 이 책을 구입해 주어 고맙지만 한 번의 의심 없이 듣고 싶은 말에 고개를 끄덕이고 공감하는 당신에게 해주는 위로 말은 아니다.

가끔 힘들 때 다시 읽어봤으면 좋겠다. 설명서를 읽지 않고 조립한 가구나, 장난감처럼 마음에 들지 않았겠지만 생각했던 것보다 위로에 가까운 짓궂은 글이라고 느껴질 겁니다.

값 11,000원
03810

9 791141 062354
ISBN 979-11-410-6235-4